MW00800775

Libro del alumno

Nivel 3

Alicia Jiménez, Juan Manuel Fernández y Rosa Basiricó

edelsa
GRUPO DIDASCALIA, S.A.

Primera edición: 2013
Impreso en España/*Printed in Spain*

© Edelsa Grupo Didascalia S.A., Madrid 2013
Autores: Alicia Jiménez, Juan Manuel Fernández y Rosa Basiricó.

Dirección y coordinación editorial: Departamento de Edición de Edelsa.
Diseño de cubierta: Departamento de Imagen de Edelsa.
Diseño de interior y maquetación: Departamento de Imagen de Edelsa.
Ilustraciones: Ángeles Peinador Arbiza.
Fotografías: Photos.com
© Antonio López, VEGAP, Madrid 2013.
© Salvador Dalí. Fundació Gala – Salvador Dalí, VEGAP, Madrid 2013.
© Equipo Crónica (Manolo Valdés), VEGAP, Madrid 2013.

CD Audio: Locuciones y montaje sonoro ALTA FRECUENCIA Madrid, 915195277, altafrecuencia.com.
Voces de la locución: Míriam Martín García, María Blanco Jiménez, José Antonio Páramo
Brasa y Elena González Hortelano.

Imprenta: Egedsa
ISBN versión internacional: 978-84-7711-308-9
ISBN versión brasileña: 978-84-7711-584-7
ISBN versión italiana: 978-84-7711-735-3
ISBN de Italia: 978-88-5760-598-2

Depósito legal: M-14749-2013

Notas y agradecimientos:
- La editorial Edelsa ha solicitado los permisos de reproducción correspondientes y agradece a todas aquellas
instituciones que han prestado su colaboración.
- Las imágenes y documentos no consignados más arriba pertenecen al Departamento de Imagen de Edelsa.
- Cualquier forma de reproducción de esta obra solo puede ser realizada con la autorización de la editorial, salvo
excepción prevista por la ley. Diríjase a CEDRO (Centro de Derechos Reprográficos, www.cedro.org) si necesita
fotocopiar o escanear algún fragmento de esta obra.

¡Bienvenido a este curso de español!

Versión mixta: digital y papel

¿En qué consiste?

1. Trabajar con el material digital

- Libro del alumno digitalizado interactivo
- *Blog* en la red
- Ejercicios y actividades complementarias
  de descarga gratuita

} www.edelsa
> Zona Estudiante
> Código 3

2. Trabajar con el libro en formato papel

- Libro del alumno (Págs. 6 a 121).
- Carpeta de actividades complementarias (Págs. 122 a 144).

¿Cómo funciona este curso?

Este libro tiene 6 unidades

Observa la primera página de cada unidad y sus objetivos.
En la segunda, hay una actividad de repaso y sistematización del léxico.

Cada unidad tiene 2 lecciones

Empezamos cada unidad con un diálogo o un texto

Responde las preguntas sobre el diálogo o el texto.

Practica y comunica en español.

Participa
en la comunidad de
Código ELE

Escribe en español y publícalo en el *blog* Código ELE en www.edelsa > Zona estudiante

On-line

Actividades de comprensión lectora y expresión escrita.

Tu rincón hispano

Acercamiento a la cultura de América Latina y variantes del español.

Arte y aparte

Cierra cada unidad con actividades a partir de cuadros relacionados temáticamente con la unidad.

Modelos de examen

Repasa y fija tus conocimientos:
- de comunicación.
- de gramática.
- de texto.

Conocimientos lingüísticos

- Las formas verbales.
- El vocabulario básico de la comida, la ropa, los colores...

- Repaso de los usos del imperfecto.
- El contraste entre el pretérito imperfecto y el perfecto simple.
- El pretérito pluscuamperfecto, forma y usos.
- La perífrasis *soler* + infinitivo.

- *Hace* y *desde hace*, *hacía* y *desde hacía*.
- Las oraciones temporales en pasado con infinitivo.
- Las perífrasis *seguir* + gerundio y *dejar de* + infinitivo.

- Los adjetivos de carácter y de personalidad.
- El presente de subjuntivo, forma regular y algunos irregulares frecuentes, y usos en expresiones de deseo.

- La forma del presente de subjuntivo de verbos especialmente irregulares.
- El uso del subjuntivo con la expresión final *para que* y contraste con *para* + infinitivo.
- Los usos del subjuntivo en expresiones de recomendación.
- Los estilos de aprendizaje.

- Los antónimos.
- La expresión *caer bien/mal* con pronombres indirectos.
- Los usos del indicativo o subjuntivo en expresiones de opinión afirmativas o negativas.

- Adjetivos con el verbo *estar*.
- Expresiones de sentimientos con pronombres indirectos y con infinitivo o con subjuntivo.

- La forma del imperativo negativo (presente de subjuntivo) y su uso.
- Las señales de tráfico y la circulación vial.
- Expresiones de prohibición y permiso con subjuntivo.
- El futuro simple, forma regular e irregular y usos para hacer promesas.

- Los usos del subjuntivo con expresiones de sentimiento y reacciones.
- El condicional simple, forma regular e irregular y usos para dar consejos.

- Las actividades de tiempo libre.
- Las oraciones relativas con *que, quien, como* y *donde* con indicativo.
- Expresiones con el verbo *apetecer* y subjuntivo.

- Las oraciones de opinión y valoración con subjuntivo.
- *Cuando* con indicativo o subjuntivo.
- Las oraciones condicionales reales con indicativo.

- Las expresiones de probabilidad con indicativo y con subjuntivo.
- El uso del futuro simple con valor de hipótesis.
- Las oraciones consecutivas.
- El vocabulario de las tecnologías digitales.

- Las oraciones temporales con subjuntivo y con infinitivo.
- El usos de los dos pronombres complemento y la posición de estos en la frase.
- El léxico de la tecnología.

UNIDAD 0

Recuerda tu español

Lección 0 Ponte en marcha

1 RECUERDA LAS FORMAS VERBALES

A. Localiza en la nube de palabras 32 formas verbales, clasifícalas en el cuadro y di a qué persona corresponden.

Presente	Pretérito perfecto simple	Pretérito imperfecto	Imperativo
1.	1.	1.	1. ....
2.	2.	2.	2. ....
3.	3.	3.	3. ....
4.	4.	4.	4. ....
5.	5.	5.	5. ....
6.	6.		6. ....
7.	7.		7. ....
8.	8.		
9.	9.		
	10.		
	11.		

B. Escribe el plural.

1. Puse   *pusimos*
2. Hiciste
3. Comió
4. Quiere
5. Iba
6. Haga
7. Puede
8. Tengo

9. Sigo
10. Habló
11. Nací
12. Viví
13. Sé
14. Pon
15. Pude
16. Eras

C. Escribe el singular.

1. Veían   *veía*
2. Salid
3. Decid
4. Estamos
5. Erais
6. Vayan
7. Salimos
8. Fuisteis

9. Dieron
10. Estuvimos
11. Tuvisteis
12. Hablaban
13. Vivíais
14. Vengan
15. Estuvimos
16. Venid

2   RECUERDA LOS NOMBRES DE LOS ALIMENTOS

A. Escribe los nombres de estos alimentos. Para ayudarte, te damos la primera letra.

1. El z..............
2. El c..............
3. El q..............
4. La m..............
5. El a..............
6. El p..............
7. El c..............
8. La f..............
9. El a..............
10. Las g..............
11. La m..............
12. La m..............
13. La l..............
14. El t..............
15. La m..............

B. Di cuatro cosas que tomas normalmente de desayuno.

C. ¿Qué desayunabas durante tus vacaciones? Escribe tres frases.

1.
2.
3.

3 RECUERDA LOS NOMBRES DE LA ROPA Y LOS COLORES

A. Busca en esta sopa de letras los nombres de las 15 prendas y 11 nombres de colores.

```
A B B U F A N D A C D E F G G H
I C J K C L Z M B N Ñ O A R P Q
F A L D A T A U O V B W M I X Y
R L C S Z A P A T I L L A S G H
N C A Z A Ñ A Z A M A R R O N I
A E M C D J T U S K N V I G L M
R T I A O B O L S O C I L U Ñ V
A I S M R O S A N O O O L A P E
N N A I A Q P A N T A L O N E S
J E R S E Y R S E T U E V T W T
A S O E X A B E G F G T H E J I
Y Z J T C D V E R D E A I S Ñ D
K M O A L N O Q O G O R R A R O
```

B. Describe las 15 prendas según los colores.

1.
2.
3.
4.
5.
6.
7.
8.
9.
10.
11.
12.
13.
14.
15.

4 **RECUERDA LAS EXPRESIONES PARA HABLAR DEL TIEMPO**

Subraya el intruso.

1. Hace bueno, hace calor, está nublado, está soleado.
2. Llueve, hace frío, hay tormenta, hace bueno.
3. Sol, nieva, llueve, graniza.

5 **RECUERDA LOS NOMBRES DE LOS INSTRUMENTOS MUSICALES**

Clasifica estos instrumentos.

arpa – bombo – clarinete – flauta – guitarra – piano – tambor – trombón – trompeta – violín – violonchelo

Instrumentos de cuerda	Instrumentos de percusión	Instrumentos de viento

6 **REPASA LA GRAMÁTICA**

A. Elige la opción adecuada.

1. • ¿No te vas a comprar esa camisa?
   • No. Es que no _____ , _____ fea.

   a. me parece, me parece
   b. me gusta, me parece
   c. me parece, me gusta

2. • ¿Dónde puedo comprar champú y jabón?
   • Pues en aquella _____ de ahí.

   a. ferretería
   b. panadería
   c. droguería

3. • ¿Te gusta _____ revista de aquí?
   • No, prefiero _____ de allí.

   a. esta, aquella
   b. una, aquella
   c. aquella, una

4. • Uy, este abrigo es _____ , cuesta mucho.
   • Sí, pero es _____ barato _____ este otro.

   a. barato, más... que
   b. carísimo, tan... como
   c. carísimo, más... que

5. • Mi hermano y yo _____ en Barcelona.
   • Ah, ¿y desde cuándo vivís aquí?

   a. nacemos
   b. nacimos
   c. nací

6. • Este verano _____ en la playa con mis primos.
   • Ah, ¿sí? ¡Qué bien!

   a. estuve
   b. estaba
   c. he estado

7. • Ayer _____ el curso.
   • Ya estás en tercero, ¿no?

   a. empezó
   b. empezaba
   c. ha empezado

8. • Cuando _____ pequeño, _____ en Sevilla, ¿no?
   • Sí, y _____ el pelo más rubio.

   a. eras, vivías, tenía
   b. estabas, vivías, habías
   c. fuiste, viviste, hubiste

9. • El martes hizo muy _____ , estuvo todo el día soleado.
   • Sí, es verdad, en cambio hoy _____ todo el día.

   a. bien, ha llovido
   b. bien, llovió
   c. bueno, ha llovido

10. • Y tú, ¿qué quieres ser de mayor?
    • Yo quiero ser _____ médico, como mi padre.

    a. Ø
    b. un
    c. el

B. Relaciona las dos partes de las preguntas y responde.

Preguntas | Respuestas

1. ¿A qué edad   a. has estado estas vacaciones?
2. ¿Cuándo   b. estudias español?
3. ¿Desde cuándo   c. ha empezado la clase de español?
4. ¿A qué hora   d. has hecho este verano?
5. ¿Dónde   e. compraste tu último ordenador?
6. ¿Qué   f. viniste a este instituto?

 7 ACTÚA

A. Prepara un texto para presentarte a tus compañeros (nombre y datos personales, descripción física y de carácter, lugar de nacimiento, gustos y aficiones, etc.).

B. Escribe un correo electrónico a un/-a amigo/a, para contarle tus vacaciones.

Sigue estas sugerencias

¿Cuándo has salido?
¿Cuándo has llegado?
¿Dónde has ido?
¿Cuántos días has estado?
¿Con quién has ido de vacaciones?
¿Cómo has ido?
¿Qué has visto/visitado?
¿Dónde has dormido?
- ¿En *camping*?
- ¿En hotel?
¿Has comido alguna especialidad?
¿Has comprado algo?

UNIDAD 1

Cuenta tus acontecimientos vividos

En esta unidad aprendes a...

- Relatar en pasado.
- Expresar la frecuencia de actividades actuales y pasadas.
- Indicar acciones anteriores a otras pasadas.
- Hablar de tus vacaciones pasadas y de los lugares que has visitado.
- Situar cuándo ocurre una acción.
- Contar el tiempo transcurrido desde que ocurrió una acción.
- Enumerar acciones anteriores o posteriores a otras.
- Contar un relato bien construido.

Observa los objetos e identifica su nombre.

las botas – la cámara de fotos – las chanclas – las gafas de sol – la maleta –
el mapa – la mochila – los prismáticos – la ropa – el saco de dormir –
la tienda de campaña – la toalla

Habla del mundo que conoces

¿Qué tal tus vacaciones?

Pista 1

Javier: Hola, Lourdes, otra vez al instituto, ¿eh? ¿Qué tal todo?

Lourdes: Hola, Javi. Fenomenal. Y tú, ¿cómo estás?, ¿qué tal por Asturias?

Javier: Pues un poco cansado. Es que volvimos ayer, pero nos lo hemos pasado muy bien. Asturias es preciosa.

Lourdes: Pero tú ya habías estado por allí, ¿no?

Javier: Bueno, sí, había ido dos o tres veces cuando era pequeño, pero no la recordaba así. Además, este año estaban mis primos y nos hemos divertido mucho. Íbamos a la playa todos los días nosotros solos y, a veces, por las tardes, dábamos una vuelta por el pueblo. Y tú, ¿al final fuiste a Grecia?

Lourdes: ¡No, qué va! Hemos ido a Alicante. Pensábamos ir a Grecia, pero tuvimos que cambiar de planes porque no encontramos billetes baratos. Pero bien, allí conozco a mucha gente y me lo he pasado muy bien. Yo también iba sola a la playa, pero por la noche no me dejaban salir. Salí con mis amigas el primer día, pero llegué a casa casi a las once y mis padres me habían dicho a las diez. Cuando llegué, estaban muy preocupados y bastante enfadados.

Javier: ¡A las diez en verano, es prontísimo!

Lourdes: Ya conoces a mis padres... pero bueno, ha estado muy bien. Me he bañado mucho, he comido arroces buenísimos y lo mejor es que he conocido a una chica de Manchester muy simpática. Solíamos vernos por las tardes y hablábamos siempre en inglés. Sus padres me han invitado a su casa y los míos están de acuerdo. Así que mi próximo viaje: Inglaterra. ¡Y yo sola!

Javier: ¡Qué suerte!

✔Comprendo

1 ESCUCHA, LEE EL TEXTO Y HAZ LAS ACTIVIDADES DE COMPRENSIÓN

A. Responde a las preguntas como en el ejemplo.

1. ¿Javier ha vuelto de sus vacaciones hace algún tiempo?
   No, Javier volvió ayer de sus vacaciones.

2. ¿Javier nunca había estado antes en Asturias?

3. ¿Javier daba una vuelta todos los días por el pueblo?

4. ¿Lourdes no fue a Grecia porque sus padres preferían Alicante?

5. ¿Lourdes salió un día con sus amigas y, cuando llegó a casa, cenó con sus padres?

B. Marca el significado de estas afirmaciones. Luego, responde a las preguntas.

LO HEMOS PASADO MUY BIEN
a. Han pasado por lugares bonitos.
b. Se han divertido.

ASTURIAS ES PRECIOSA
a. Asturias es muy bonita.
b. Asturias es muy cara.

NOS DEJABAN SALIR POR EL PUEBLO
a. Nos llevaban al pueblo.
b. Nos permitían pasear por el pueblo.

NO ENCONTRAMOS BILLETES BARATOS
a. Solo había billetes caros de avión.
b. Ya no había billetes de avión.

1. ¿Qué crees que significa «¡Qué va!»?
2. ¿Puedes encontrar en el texto un sinónimo de «divertirse»?
3. ¿Qué significa la expresión «dar una vuelta»?

C. Marca en el texto todas las formas de estos pasados y escríbelos aquí.

Pretérito perfecto simple	Pretérito perfecto compuesto	Pretérito imperfecto

Practico y amplío

Cuando yo era pequeña...

 2 REPASA LOS USOS DEL IMPERFECTO

a. **Describir cosas o personas en el pasado:** La casa era pequeña.
b. **Expresar acciones realizadas de forma habitual:** Llovía todas las mañanas.
c. **Presentar una acción pasada que es interrumpida por otra acción:**
   Preparaba sus ejercicios cuando lo llamaron para cenar.
d. **Narrar una acción pasada en desarrollo simultánea a otra acción:**
   Estaba de vacaciones cuando mi padre compró el coche nuevo.
e. **Pedir algo de forma cortés:** Quería un refresco de naranja, por favor.

Gramática

A. Completa con los verbos en imperfecto y escribe a qué uso del imperfecto corresponden.

1. Lourdes (pensar) _____ ir a Grecia, pero no fue porque no tenía pasaporte. ☐
2. (Querer, yo) _____ pedirte un favor: ayúdame con las Matemáticas este trimestre. ☐
3. Las dos hermanas (tener) _____ los ojos azules de la madre y el pelo negro del padre. ☐
4. Nos (bañar, nosotros) _____ en la playa cuando Mari Luz llegó a nuestra casa. ☐
5. De pequeños (ir, ellos) _____ todos los veranos al mismo pueblo. ☐

B. Explica qué hacían los vecinos de la casa en el momento del impacto.

Noticias
¡Un meteorito ha caído en plena ciudad!

Cuando cayó el meteorito, Alicia cenaba.

Ana

Paco

Marta

Juan

Luis

Alicia

3 **EXPRESA LA FRECUENCIA**

Además del imperfecto, podemos indicar que una acción es habitual o frecuente mediante locuciones como a menudo o muchas veces (mayor frecuencia) o a veces (menor frecuencia). También podemos usar la construcción soler + infinitivo:

Gramática

Presente
A menudo como en la escuela.
A veces leo cómics de Asterix.
Suelo ver la tele todos los días.

Pasado
Cuando era pequeño, a menudo viajábamos al norte.
A veces salía con mis amigos a la plaza del pueblo.
Solía ver la tele todos los días.

¿Con qué frecuencia sueles realizar estas actividades? Escribe una frase para cada una con el verbo soler. Después, pregunta a tu compañero por la frecuencia con la que las realiza él. ¿Coincidís?

- ver la televisión
- salir con amigos
- estudiar español

- ir al cine
- hacer deporte
- jugar con la videoconsola

Suelo ver la televisión todas las tardes.

4 **FORMULA LA ANTERIORIDAD**

A. Observa y completa el esquema.

Sirve para expresar que una acción es anterior a otra acción pasada.
Javier ya había estado en Asturias. Estuvo allí antes de sus últimas vacaciones.

Gramática

Pretérito pluscuamperfecto
Haber en imperfecto + el participio

(yo)	....	
(tú, vos)	....	
(él, ella, usted)	....	estado
(nosotros, nosotras)	....	comido
(vosotros, vosotras)	....	vivido
(ellos, ellas, ustedes)	....	

A menudo se usa el adverbio ya para reforzar la anterioridad.

Con nunca, expresamos que es la primera vez que hacemos algo.
¡Nunca antes había comido paella!

B. Relaciona.

1. La semana pasada vi a Javier,
2. Marisa ya había estado en Andalucía,
3. No hicimos el examen de Ciencias
4. Me han regalado una bici nueva,
5. No queréis venir,
6. Nunca había escuchado

a. porque ya lo habíamos aprobado.
b. una tontería igual.
c. nunca lo había visto tan cansado.
d. me habían robado la vieja hace unos meses.
e. pero este verano viajó por primera vez sola.
f. pero nos lo habíais prometido.

C. Completa las frases con los verbos en pluscuamperfecto.

1. La fiesta ya se (terminar) _____ cuando ellos llegaron.
2. Mauricio me (decir) _____ antes que no venía.
3. Tus amigos ya se (ir) _____ cuando empezó el partido.
4. Vosotros (vivir) _____ ya en esta ciudad, ¿verdad? Por eso la conocéis tan bien.
5. Yo nunca (esquiar) _____ antes de estas vacaciones.
6. Tú ya lo (hacer) _____, pero yo lo he limpiado otra vez.

Actúo

5 HABLA SOBRE TUS VACACIONES

A. Reflexiona sobre tus vacaciones y responde a las siguientes preguntas.

1. ¿Dónde has estado de vacaciones?
2. ¿Cómo era el lugar que has visitado?
3. ¿Cómo has viajado?
4. ¿Te lo has pasado bien? ¿Por qué?

5. ¿Habías estado allí antes?
6. ¿Cuánto tiempo has estado allí?
7. ¿Qué hacías normalmente?

B. Ahora habla con tu compañero informándote sobre sus vacaciones y respondiendo a sus preguntas.

¿Han sido las vacaciones de tu compañero muy distintas de las tuyas?
Haz una lista comparando las diferencias.

CÓDIGO <M>

Vuestro mundo visitado
- Trabaja con toda la clase.
- Señala en un mapa todos los lugares donde has estado.
- Trae algunas fotos o búscalas en Internet y pégalas junto a vuestros destinos.
- Escribe una frase describiendo esos lugares. Coloca junto al mapa un póster con las cosas que solías hacer durante tus vacaciones.

Participa
en la comunidad de
Código ELE

Publicad ahora vuestros viajes en el blog y leed los de otros estudiantes. A lo mejor hay estudiantes que quieren conocer los lugares donde habéis ido, responded a sus preguntas.

www.edelsa
Zona estudiante

Relata tus experiencias

Un reencuentro fantástico

Ya estoy de vuelta de las vacaciones y te tengo que contar una historia que quiero recordar durante mucho tiempo. Hace un par de años estuve con mis padres en un *camping* en los Alpes franceses y allí conocí a Pierre, un chico de París muy simpático. Hablaba algo de español, así que nos hicimos amigos y pasamos dos semanas muy buenas. Después de aquel verano, nos escribimos alguna vez alguna postal, pero perdimos el contacto. Este verano lo he vuelto a encontrar en un *camping* de Tossa de Mar. Llegamos a finales de junio y no había mucha gente, a los pocos días ya nos conocíamos todos. Un día por la mañana en la playa, vi a un chico en la orilla que parecía pensar lo mismo que yo, que el agua estaba demasiado fría. Metía un pie, lo sacaba, lo volvía a meter. Decidí acercarme a la orilla para ver si pasaba algo. No lo había visto desde hacía dos años, pero lo reconocí enseguida, era Pierre.
- Eres Pierre, ¿no?
- ¿Pilar? ¡Cuánto tiempo! ¡Qué alegría! ¿Nos bañamos o no nos bañamos?
Después de ese extraño encuentro, no dejamos de vernos ni un solo día. Pierre seguía siendo el chico divertido que había conocido dos años antes y yo estaba muy contenta de haberlo encontrado de nuevo. Ahora que han terminado las vacaciones, nos hemos prometido no perdernos de vista y hoy, al volver a casa, me he encontrado el correo electrónico lleno de mensajes suyos con estas fotos que nos hizo su madre.

 # Comprendo

1 LEE EL CORREO Y HAZ LAS ACTIVIDADES

A. ¿Verdadero o falso?

	V	F
1. Este verano Pilar ha ido de vacaciones a los Alpes.		
2. Pierre suele ir de *camping* en sus vacaciones.		
3. A finales de junio no había mucha gente.		
4. Pilar solía bañarse todos los días.		
5. Pilar fue la primera en reconocer a su amigo.		
6. Siguieron viéndose durante el resto de las vacaciones.		

B. Responde a las preguntas completando los espacios.

1. ¿Cuándo estuvo Pilar en los Alpes franceses?   Estuvo ▨▨▨▨▨▨▨▨▨ años.
2. ¿Qué pasó después de aquel primer verano con Pierre?   Los dos amigos ▨▨▨▨▨▨ el contacto.
3. ¿Cuándo se volvió a encontrar con Pierre?   Lo vio ▨▨▨▨▨▨ .
4. ¿Qué han hecho desde entonces?   ▨▨▨▨▨▨▨▨▨ .

C. Busca en tu diccionario la palabra rato. ¿Qué significa? ¿Y la expresión un buen rato?

Practico y amplío

2 INDICA CUÁNDO OCURRE UNA ACCIÓN

> Hace unos días me encontré con un viejo amigo.

A. Ordena las frases de la más antigua a la más reciente.

☐ Ayer estuve viendo el álbum de las fotos de las vacaciones de Ángel.
☐ En estos momentos, estoy intentando recordar mis vacaciones.
☐ Hace dos años, visité Guatemala con mi familia.
☐ En junio, hicimos una excursión en autobús con el instituto.
☐ Hace unos días, Ana me contó una historia rarísima.
☐ Cuando tenía tres meses, estuve con mi madre y mi abuela en el mar Caribe.

B. Escucha la grabación y completa la información.

	¿Quién?	¿Qué?	¿Cuándo?
1.			
2.			
3.			
4.			
5.			
6.			

Con los datos anotados, reconstruye las frases.

3 SITÚA TEMPORALMENTE

Señalar el momento en que ocurre un acontecimiento pasado	El + día de la semana o del mes En + fecha Hace + cantidad de tiempo	El 15 de julio salimos de viaje. El miércoles volvimos a casa. Estuve en Buenos Aires en mayo de 2010. Hace dos años, estuve en Buenos Aires.
Contar el tiempo que ha pasado desde que ocurrió un acontecimiento pasado	Hace + cantidad de tiempo + que + verbo en perfecto simple	Hace dos años que estuve en Buenos Aires.
Contar el tiempo desde que ocurre una situación presente	Desde + una fecha Desde hace + cantidad de tiempo Hace + cantidad de tiempo + que + verbo en presente	Vivo en Madrid desde 2007. Vivo en Madrid desde hace cinco años. Hace cinco años que vivo en Madrid.

Gramática

A. Responde a las preguntas utilizando las expresiones *hace* y *desde hace*.

AGENDA DE MIGUEL

LUNES	23	Primer día de gimnasio. He conocido a Maribel.
MARTES	24	
MIÉRCOLES	25	Mi cumpleaños. Regalo de mis padres: ¡Un viaje a París!
JUEVES	26	Examen de Inglés.
VIERNES	27	Ir al cine.
SÁBADO	28	
DOMINGO	29	

Hoy es lunes, 30.

1. ¿Cuándo fue al cine?   Fue al cine hace tres días.
2. ¿Desde cuándo conoce a Maribel?
3. ¿Cuándo tuvo el examen de Inglés?
4. ¿Cuándo le regalaron el viaje a París?
5. ¿Desde cuándo va al gimnasio?

Gramática

Si la referencia es el presente

Hace...
Desde hace...

Luisa viajó a Sevilla hace dos años.
Hace dos años que no nos vemos. ¿Cómo estás?

Si la referencia es el pasado

Hacía...
Desde hacía...

Luisa había viajado a Sevilla hacía dos años. **(Cuando Luisa fue era la segunda vez, dos años antes ya había ido).**
Hacía dos años que no nos veíamos. **(Cuando se vieron, habían pasado dos años desde su último encuentro).**

B. Subraya la opción correcta.

1. Cuando nos vimos en la playa, *hace/hacía* dos días que no me bañaba.
2. *Hace/Hacía* algún tiempo, conocí a los primos de Marisa.
3. Ya tenemos las entradas del concierto. Si queréis venir, todavía tiene que haber porque no *hace/hacía* mucho que mis padres las compraron.
4. *Hace/Hacía* dos semanas que no veo a mis padres.
5. *Hace/Hacía* mucho que no nos veíamos, así que nos saludamos efusivamente.
6. Empezó a llover a finales de septiembre y *hace/hacía* tiempo que no llovía tanto.

4 EXPRESA ANTERIORIDAD Y POSTERIORIDAD

Y tú, ¿qué sueles hacer los fines de semana?

Gramática

A. Responde a estas preguntas.

1. ¿Qué sueles hacer antes de ir al instituto?
2. ¿Qué haces normalmente después de cenar?
3. ¿Qué haces en el instituto antes de las clases?
4. ¿Qué sueles hacer después de las clases?
5. ¿Qué haces normalmente antes de dormir?

Para contar algo que ocurre antes:
antes, antes de + **infinitivo**, hasta entonces/ese momento/ahora...

Para contar algo que ocurre más tarde:
después, después de + **infinitivo**, al rato, al poco tiempo, poco después, a los pocos días...

B. Marca la opción adecuada.

Este verano he conocido a dos hermanos muy simpáticos. Estuvimos hablando en la playa y teníamos tantas cosas en común que *al rato/antes* ya éramos amigos. *A los pocos días/Hasta entonces* me invitaron a una fiesta que daban en su casa. *Después/Hasta ese momento* solo nos habíamos visto en la playa y yo pensaba que eran gente normal, como yo. *Antes/Después* de conocer su casa, empecé a pensar que no eran tan normales. Para empezar, la casa era una mansión increíble, con una piscina fabulosa y con muebles de película. *Al rato/Hasta que* llegaron sus padres en un cochazo. Me los presentaron, pero se olvidaron de presentarme a la persona que venía con ellos y yo les pregunté si era su tío. Casi se mueren de la risa. El tío también. *Al poco tiempo/Hasta entonces* comprendí mi equivocación, cuando se puso su gorra. ¡Era el chofer!

Actúo

5 CUENTA UNA HISTORIA

Observa las imágenes y responde a las preguntas.

- Lola se ha divertido mucho este año. Elige un lugar: ¿qué ha hecho? ¿Cuándo lo ha hecho?

- Esto es lo que hacía normalmente en su viaje. Elige uno: ¿qué hacía?

- Pero algunas veces salía de la rutina y pasaban cosas distintas. Elige un acontecimiento: ¿qué le pasó un día a Lola?

- Al final las vacaciones se terminaron y Lola volvió a su casa: ¿cómo terminó su viaje?

CREA TU FINAL FELIZ.

CÓDIGO <R>

Tu relato
- Léele tu historia a tu compañero. ¿Cuál es más divertida, la tuya o la suya?

Tu biblioteca de español

Carmen Laforet

→ **Carmen Laforet es una de las escritoras más importantes del siglo XX en España. Lee el texto.**

Estación de trenes en la ciudad de Barcelona.

Barrio céntrico de Barcelona.

Por dificultades en el último momento para adquirir billetes, llegué a Barcelona a medianoche, en un tren distinto del que había anunciado y no me esperaba nadie. Era la primera vez que viajaba sola, pero no estaba asustada; por el contrario, me parecía una aventura agradable y excitante aquella profunda libertad en la noche. La sangre, después del viaje largo y cansado, me empezaba a circular y con una sonrisa de asombro miraba la gran estación de Francia* y los grupos que se formaban entre las personas que estaban esperando el expreso y los que llegábamos con tres horas de retraso.

El olor especial, el gran rumor de la gente, las luces siempre tristes... tenían para mí un gran encanto, ya que envolvía todas mis impresiones en la maravilla de haber llegado por fin a una ciudad grande, adorada en mis ensueños por desconocida.

Empecé a seguir el rumbo de la masa humana que, cargada de maletas, iba hacia la salida. Mi equipaje era un maletón muy pesado -porque estaba casi lleno de libros- y lo llevaba yo misma con toda la fuerza de mi juventud y de mi ansiosa expectación.

Un aire marino, pesado y fresco, entró en mis pulmones con la primera sensación confusa de la ciudad: una masa de casas dormidas; de establecimientos cerrados; de faroles como centinelas borrachos de soledad. Una respiración grande, dificultosa, venía con el cuchicheo de la madrugada. Muy cerca, a mi espalda, enfrente de las callejuelas misteriosas que conducen al Borne*, sobre mi corazón excitado, estaba el mar.

Debía parecer una figura extraña con mi aspecto risueño y mi viejo abrigo que, a impulsos de la brisa, me azotaba las piernas, defendiendo mi maleta, desconfiada de los obsequiosos *camàlics*. Recuerdo que, en pocos minutos, me quedé sola en la gran acera, porque la gente corría a coger los escasos taxis o luchaba por subirse al tranvía. Uno de esos viejos coches de caballos que han vuelto a surgir después de la guerra se detuvo delante de mí y lo tomé sin titubear, causando la envidia de un señor que se lanzaba detrás de él desesperado, agitando el sombrero.

Nada, de Carmen Laforet (texto adaptado)

Nació en Barcelona en 1921. Cuando tenía dos años, su familia se trasladó a vivir a las islas Canarias, donde transcurrió su infancia y adolescencia. A los 18 años, al terminar la Guerra Civil española, volvió a Barcelona a casa de sus abuelos, que vivían en la misma calle Aribau donde ella había nacido y en donde está situada su novela *Nada*.

Aunque no es una novela estrictamente autobiográfica, es el fruto de sus experiencias en esos años. Cuando escribió *Nada*, tenía 22 años y el éxito que obtuvo en plena juventud marcó su carrera de escritora. *Nada* fue considerada la mejor novela española contemporánea y fue el libro más vendido del momento.

COMPRENDO

1. Responde a estas preguntas.
1. ¿Qué medios de transporte aparecen en el texto?
2. ¿Para qué los utiliza la protagonista?
3. ¿Con quién viajaba?
4. ¿Por qué pesaba su maleta?
5. ¿Por qué no había nadie esperando a la protagonista?
6. ¿A qué hora llegó a Barcelona? ¿Por qué llegó a esa hora?

2. Di si las siguientes frases son verdaderas o falsas.

	V	F
1. El tren de la protagonista llegó puntual a la estación.	☐	☐
2. La protagonista quería trasladarse a Barcelona.	☐	☐
3. La estación de trenes a la que llegó la protagonista estaba cerca del mar.	☐	☐
4. Un señor se enfadó con la protagonista porque esta le quitó el coche que él intentaba tomar.	☐	☐

APRENDO

1. Localiza en el texto estos fragmentos e interpreta lo que quieren decir.
1. Por dificultades en el último momento
2. A medianoche
3. No me esperaba nadie
4. Aquella profunda libertad en la noche
5. Con una sonrisa de asombro miraba la gran estación
6. Empecé a seguir el rumbo de la masa humana
7. Una masa de casas dormidas

2. Busca en el texto seis palabras relacionadas con los viajes. Haz una frase con cada una.

3. En el texto aparece una palabra en catalán: *camàlics*. Por el contexto, ¿qué crees que significa? Elige una de estas posibilidades:
a. Un ladrón que quería llevarse su maleta.
b. Un mozo de carga, una persona que lleva los equipajes de los viajeros.
c. Un taxista que quería llevarla a su casa.

ESCRIBO

Siguiendo el relato de Carmen Laforet, imagina una llegada a una estación y lo que ocurrió.

Ruta Quetzal

Un programa de estudios y aventura

En 1979 Miguel de la Quadra-Salcedo creó este programa con el objetivo de reforzar entre la juventud de 16 y 17 años el sentimiento de pertenencia a la Comunidad Iberoamericana de naciones entre todos los países de habla hispana, incluidos Brasil y Portugal.

Ruta Quetzal BBVA es un viaje iniciático, ilustrado y científico en el que se mezclan cultura y aventura. Gracias a él, y a lo largo de veintiséis ediciones, más de 8 000 jóvenes han tenido la oportunidad de viajar y descubrir las dimensiones humanas, geográficas e históricas de otras culturas, pertenecientes a las civilizaciones mediterráneas o precolombinas, muy distantes en el espacio y en la concepción de la vida, pero que todavía hoy conforman decisivamente nuestro mundo.

Ruta Quetzal BBVA es una experiencia formativa en la que los participantes, además de ampliar sus conocimientos, desarrollan un espíritu de cooperación internacional, con el fin de crear una nueva escala de valores, que va más allá de la riqueza y la pobreza.

Responde a estas preguntas.
1. ¿Cuánto hace que se organiza la Ruta Quetzal?
2. ¿A quién está destinada la Ruta?
3. ¿Qué hacen los participantes durante la expedición?
4. ¿Qué valores promueve la Ruta?

Relaciona estas palabras del texto con sus significados.
1. Ilustrado   a. celebración de un acto periódico
2. Edición   b. conjunto de costumbres, cultura, creencias de un grupo humano
3. Descubrir   c. conocer algo por primera vez
4. Civilización   d. sabio
5. Fructífero   e. trabajo entre varias personas o grupos
6. Cooperación   f. útil

Utiliza las palabras para formar frases.

Las primeras horas de la Ruta transcurrieron durante el larguísimo vuelo transoceánico que nos trajo ayer a la ciudad mexicana de Veracruz. Por fin, llegamos al aeropuerto de Veracruz, pero nos retuvieron dentro del avión durante casi una hora. Según nos dijeron, era un avión demasiado grande para ese aeropuerto y tenían que descargar el equipaje en la propia pista, donde después lo recogimos, pero antes, nos revisaron uno a uno nuestros pasaportes. El golpe de calor y el 90 % de humedad del aire nos sacudieron la cara al poner el primer pie en tierra veracruzana; nos vamos a tener que acostumbrar a ellos, ya que así va a ser durante toda nuestra etapa mexicana.

El día que oficialmente comenzaba la 25ª edición de Ruta Quetzal hicimos en autobús el camino de Papantla. Una vez allí, en el inmenso Parque Temático Takilhsukut nuestros ruteros se sumergieron en la rica historia y las costumbres totonacas, paseando de acá para allá entre demostraciones del famoso «Palo Volador» e interesantes talleres de alfarería, tintes o lengua totonaca.

Lee y busca en el texto las palabras que responden a estos significados.
Viaje en avión:
Conjunto de cosas que llevamos cuando viajamos:
Examinar o comprobar minuciosamente algo, por ejemplo un documento:
Documento que sirve para visitar países distintos al nuestro:
Fase de un viaje:

Busca en el texto y trata de explicar el significado.
Revisar uno a uno
El golpe de calor y el 90 % de humedad del aire nos sacudieron la cara
Paseando de acá para allá

Busca estos verbos en el texto y construye una frase con cada uno.
traer, retener, decir, recoger, hacer, sumergir

Di si las afirmaciones son verdaderas o falsas.
El viaje no fue muy largo.
Tuvieron que esperar casi una hora dentro del avión.
Los expedicionarios recogieron sus maletas en la pista.
La temperatura al llegar era baja.

Variantes del español

Relaciona estas variantes con su significado.
1. Terminal (Argentina), central camionera (México)
2. Colectivo (Argentina), camión (México), guagua (Cuba)
3. Subte (Argentina)
4. Pasaje, ticket (Argentina), pasaje (Chile, Uruguay), boleto (México)
5. Despachar (Argentina), chequear (Chile), checar/registrar (México)
6. Valija (Argentina), petaca (México), bolso (Venezuela)
7. Auto (Argentina, Chile), carro (México, Venezuela)
8. Nafta (Argentina), bencina (Chile)
9. Manejar (Argentina, Chile, México, Venezuela)

a. Metro
b. Autobús
c. Billete
d. Coche
e. Maleta
f. Conducir
g. Estación de autobuses
h. Facturar
i. Gasolina

Comunicación

Expresar frecuencia

1. Completa las frases con la construcción soler + infinitivo.

1. En verano, (tomar, nosotros) ▨▨▨▨▨▨▨▨▨▨▨ el sol todos los días.
2. Cuando estaba en la playa, (bañarme) ▨▨▨▨▨▨▨▨▨▨▨ todos los días.
3. El año pasado, (ver, vosotros) ▨▨▨▨▨▨▨▨▨▨▨ la puesta de sol desde la playa todos los días.
4. En mis últimas vacaciones, (comer) ▨▨▨▨▨▨▨▨▨▨▨ en restaurantes.

2. Utiliza el imperfecto para expresar una acción habitual.

1. ¿En tu viaje (visitar) ▨▨▨▨▨▨▨▨▨▨ monumentos todos los días?
2. Era un rollo, nuestros padres no nos (permitir) ▨▨▨▨▨▨▨▨ salir todas las noches.
3. Mi padre se cansó mucho, porque (conducir) ▨▨▨▨▨▨▨▨ todos los días.
4. ¿Dónde (ir, él) ▨▨▨▨▨▨▨▨▨▨ de vacaciones cuando era pequeño?

Situar en el tiempo

3. Explica cuándo realizaste tú estas acciones.

1. ¿Cuándo comiste pasta por última vez? ▨▨▨▨▨▨▨▨
2. ¿Cuándo fue la última vez que viste a un tío tuyo? ▨▨▨▨▨▨▨▨
3. ¿Cuándo hiciste tu último viaje? ▨▨▨▨▨▨▨▨
4. ¿Cuándo te encontraste por última vez algo en la calle? ▨▨▨▨▨▨▨▨

Situar temporalmente en el pasado

4. Completa las frases con hace, hacía, desde, desde hace, desde que.

1. ¿ ▨▨▨▨▨▨▨▨ cuándo tocas la guitarra?
2. ▨▨▨▨▨▨▨▨ mucho tiempo que no veía a Elena, pero ayer me encontré con ella.
3. No me asustaba tanto ▨▨▨▨▨▨ hacía mucho.
4. Estuve en México ▨▨▨▨▨▨▨ mucho.
5. Ya ha pasado mucho tiempo ▨▨▨▨▨▨▨ compré ese disco.
6. ▨▨▨▨▨▨ tiempo que quiero ver esa película.
7. No veo a mi primo ▨▨▨▨▨▨▨ un par de meses.
8. ▨▨▨▨▨▨ cinco años estuve en Alemania con mis tíos.
9. ▨▨▨▨▨▨ poco estuve en Barcelona. Es una ciudad preciosa.
10. ¿Cuánto ▨▨▨▨▨▨ que conoces a Maribel?

5. Subraya la opción adecuada.

1. Hace/Hacía mucho que no venías a visitarnos.
2. No me había divertido tanto desde hace/hacía tiempo.
3. No hace/hacía mucho que estudio español, todavía no lo entiendo bien.
4. Hace/Hacía dos años que había estado allí, todo había cambiado mucho.
5. Hace/Hacía siglos que no leo tebeos.

Gramática

Usos de los tiempos de pasado

6. Completa el texto conjugando los verbos en un tiempo adecuado.

Muchos años después, en Berlín, volví a ver aquellas escombreras de mi infancia.
Yo (llegar) .... a la ciudad del muro, enviado por un periódico español para hacer un reportaje de la
vieja capital de Alemania. Durante una semana, recuerdo que (ser) .... junio y que la primavera (llenar)
.... de deseos y de flores los paseos y los parques alemanes (recorrer) .... las avenidas,
(ver) .... las cruces del muro, las alambradas, los pasos en que (morir) .... muchos hombres
y mujeres al intentar cruzarlo. (Fotografiar, yo) .... las iglesias y los palacios bombardeados. Recorrí
la celebre avenida de los Tilos, aquella por la que, en sus días de gloria, (desfilar) .... desafiando al
mundo los ejércitos de Hitler. Me (asomar) .... al puente de Glieniker el mismo por el que rusos y americanos (canjear) .... sus espías cuando la guerra Fría (ser) .... solo una frase que yo (oír)
.... allá, en Olleros por la radio y, por la Friedrichstrasse, (cruzar, yo) .... un día al otro
lado para ver la cara oculta de la luna y comprobar que en Berlín se siente el peso del mundo como en ninguna
otra parte. Pero, de todo ello, de todo lo que (ver, yo) .... o creí ver a mi paso, más aún que el perfil
del muro o que las estaciones del viejo metro cerradas desde la guerra y vigiladas día y noche desde entonces por
la policía, lo que más me (impresionar) .... fue la visión de la mítica Colina del Diablo.

Julio Llamazares, adaptado de *Escenas de cine mudo*

El pluscuamperfecto

7. Forma frases como en el ejemplo.

1. Llegar a la puerta del cine/acabar las entradas. *Cuando llegué a la puerta del cine, ya se habían acabado las entradas.*
2. Ir a despedirme/salir de casa. ....
3. Entrar en el restaurante/empezar a comer ellos. ....
4. Comprarme un paraguas/terminar de llover. ....
5. Llamarle/decirle la noticia. ....

Léxico

8. Escribe el nombre de los objetos.

1. ....

2. ....

3. ....

4. ....

5. ....

6. ....

7. ....

Preparo
mi examen

LEO Completa este texto con las palabras de la lista.

agotados – barrio – buenísima – cerca – dejaron – descansar – edificios – entrada – estuve – hotel – metro – monedas – rato – salida – siesta – terraza – turistas – visité

En verano _____ unos días en Madrid con mis padres. El primer día _____ el centro de la ciudad, el _____ histórico de la ciudad. Había muchos _____ muy bonitos. Como hacía sol y calor, comimos en una _____ de la Plaza Mayor. La plaza estaba llena de _____ que se hacían fotos junto a personas vestidas de superhéroes o de personajes de Disney a cambio de unas _____. Había también muchos artistas: pintores, músicos, payasos o esculturas humanas. Comimos una paella que estaba _____. Como estábamos cansados, nos volvimos al hotel para _____. Fuimos en _____ y en pocos minutos llegamos a nuestro _____. Dormí mi primera _____ española. Por la tarde, fui yo solo al Santiago Bernabéu, el estadio de fútbol del Real Madrid. Llegué un poco tarde, pero me _____ entrar y no pagué _____ ni nada, porque ese día era gratis. Era mi gran ilusión y no me defraudó. A la _____, vinieron mis padres a recogerme. Cenamos por allí _____, en un bar. Después de cenar, salimos un _____, a ver las luces de la ciudad, pero estábamos _____ y nos volvimos pronto al hotel.

ESCUCHO Escucha la conversación entre Ángeles y Raúl. Enumera los medios de transporte que utilizó Ángeles en su viaje, dónde se alojó y las actividades que hizo.

ESCRIBO Responde por escrito.

1. ¿Viajas a menudo? Explica los destinos que conoces. ¿Cuándo estuviste? ¿Qué hiciste?
2. ¿Cuál es tu tipo de viaje preferido?
3. Cuando viajas, ¿visitas museos y monumentos? ¿Cuáles conoces? ¿Qué otras cosas haces en los viajes?
4. ¿Qué medios de transporte has usado? ¿Cuál es tu favorito? Explica por qué.
5. ¿Has estado de *camping* alguna vez? ¿Prefieres el *camping* o el hotel? ¿Por qué?

HABLO Por turnos. Describe el viaje de una de estas personas a tu compañero. Cómo viajó, dónde se alojó, qué hizo... Tiene que adivinar quién es.

❶

❷

❸

❹

arte y aparte

Muchacha en la ventana

Salvador Dalí

Observa

Describe el cuadro. Para ello, responde a estas preguntas:

¿Qué hay en el centro del cuadro?

¿Por dónde entra la luz en el cuadro?

¿Cómo es la muchacha?

¿Qué es lo que miramos nosotros como espectadores?

¿Qué es lo que más se destaca?

¿Es importante la pared?

¿Qué es lo que mira?

¿Qué hay al otro lado de la ventana?

Comenta

Analiza estos aspectos.

Fíjate en los colores del cuadro, ¿cómo los definirías?

Si tienes que decir un sentimiento que te inspira el cuadro, ¿cuál marcarías? ¿Por qué?: tranquilidad, movimiento, agresividad, soledad, nostalgia…

Nosotros miramos lo que mira la muchacha. ¿Qué crees que está viendo?

Da tu interpretación

¿Qué crees que quiere decirnos el artista?

¿Te gusta? ¿Por qué?

UNIDAD 2

Conoce tu forma de aprender

En esta unidad aprendes a...
- Expresar buenos deseos.
- Reconocer el lenguaje de los jóvenes.
- Describir a tu profesor ideal.
- Organizar tu aprendizaje.
- Indicar la finalidad de las acciones.
- Hablar de las dificultades.

Clasifica estas palabras en el mapa mental y define las cuatro categorías.

GOMA
RESUMIR
BEDEL
ENTRADA
MEMORIZAR
CUADERNO
GIMNASIO
PROFESOR
EJERCITAR
CARPETA
ESCRIBIR
TUTOR
ALUMNO
DIRECTOR
PERSONAL DE LIMPIEZA
ROTULADOR
COMPLETAR
DICCIONARIO
LABORATORIO
INTERCAMBIAR
REPASAR
REGLA
CONTAR
SACAPUNTAS
BOLÍGRAFO
AULA CAFETERÍA
CALCULADORA
SECRETARÍA
RELACIONAR
LEER
CONVERSAR
ALÓN DE ACTOS
REPETIR
LIBRO
PATIO
LÁPIZ
PRACTICAR
ESCUCHAR
SUBRAYAR
DESPACHO

Goma

Salón de actos

Resumir

APRENDER

Profesor

Expresa tus deseos para el nuevo curso

Mensaje de bienvenida

Bienvenidos y bienvenidas un año más. Este año también damos la bienvenida a tres nuevos profesores: el profesor Pepe Sánchez, que estudió en nuestro instituto y que se encarga de las clases de Inglés; la profesora Nuria Banderas, que junto con el profesor García, a quien todos conocéis, da clases de Geografía; y la profesora Marisol Gorris, que da clases de Español. A los tres les deseamos que pasen un año rico de experiencias positivas, que sepan aprovechar las oportunidades que nuestro instituto da a sus colaboradores. ¡Ojalá sigan con nosotros el año que viene!

Y a vosotros, queridos estudiantes, dejadme que os cuente una historia. Cuando tenía 13 años, no tenía ni idea de lo que iba a ser de mayor, pero seguí estudiando. Hoy soy profesora y directora, y, además, en el mismo instituto que me ayudó en mi formación. A todos os digo: estudiad con pasión y así espero que todos vuestros planes se hagan realidad.

Como repito todos los años, deseo insistir en lo obligatorio del respeto de las normas del centro. Os recuerdo que está prohibido utilizar el móvil en cualquier lugar del instituto y que la puntualidad es fundamental. Os ruego que cuidéis vuestras aulas y el patio. Además, es para mí una satisfacción poder comunicaros que ya tenemos una nueva sala de informática situada en la tercera planta, entre la biblioteca y el laboratorio de Biología. Además, han instalado en cada aula una pizarra digital. Nuestro objetivo es formaros como personas libres, con creatividad y responsabilidad y, para ello, necesitamos vuestra colaboración.

Comprendo

1 LEE EL TEXTO Y HAZ LAS ACTIVIDADES DE COMPRENSIÓN

A. Señala de cuáles de estos temas se habla.

	Sí	No
1. Puntualidad	☐	☐
2. Instalación de pizarra digital	☐	☐
3. Limpieza del instituto	☐	☐
4. Nuevo profesor de Español	☐	☐
5. Presentación de nuevos profesores	☐	☐
6. Nueva biblioteca	☐	☐

B. Busca en el texto palabras relacionadas con el mundo escolar y cópialas en su ficha.
¿Se te ocurre alguno más que no aparece en el texto? Escríbelo.

ASIGNATURAS
• ....
• ....
• ....
• ....

LUGARES
• ....
• ....
• ....
• ....

C. Relaciona los deseos que expresa su directora.

1. A los tres les deseamos que pasen...
2. Y que sepan...
3. Ojalá sigan...
4. Espero que todos vuestros...
5. Deseo insistir en...
6. Os ruego que cuidéis...

a. aprovechar las oportunidades de nuestro instituto.
b. con nosotros el año que viene.
c. lo obligatorio del respeto de las normas del centro.
d. planes se hagan realidad.
e. un año rico de experiencias positivas.
f. vuestras aulas y el patio.

Practico y amplío

2 APRENDE EL PRESENTE DE SUBJUNTIVO

A. En las frases de la actividad anterior aparece un tiempo verbal nuevo, el presente de subjuntivo.
Léelas e intenta completar este cuadro.

Gramática

Ojalá
saque buenas
notas.

	Verbos regulares		
	REGALAR	COMER	ESCRIBIR
(yo)	regale	....	escriba
(tú, vos)	regales	comas	....
(él, ella, usted)	....	coma	escriba
(nosotros, nosotras)	regalemos	comamos	escribamos
(vosotros, vosotras)	regaléis	comáis	escribáis
(ellos, ellas, ustedes)	regalen	coman	....

B. Para conocer la forma de muchos verbos irregulares, debes fijarte en la forma yo del presente de indicativo. Forma la de estos verbos, completa el crucigrama con la forma del subjuntivo en la persona indicada y descubrirás, en la columna central, los apellidos de un escritor muy famoso.

1. Venir
2. Decir
3. Recordar
4. Empezar
5. Seguir
6. Elegir
7. Hacer
8. Tener
9. Dormir
10. Querer
11. Poder
12. Volver
13. Conocer

1. _____ (ustedes)
2. _____ (ella)
3. _____ (yo)
4. _____ (ellos)
5. _____ (usted)
6. _____ (ustedes)
7. _____ (nosotros)
8. _____ (tú)
9. _____ (ella)
10. _____ (usted)
11. _____ (él)
12. _____ (yo)
13. _____ (tú)

C. Elige tres verbos y repasa su conjugación en presente de subjuntivo en tu cuaderno. Luego, pregúntales a tus compañeros la conjugación de cada uno de ellos.

3 EXPRESAR DESEOS

Expresar deseos	Que + subjuntivo	Que aproveche. Que se mejore.
	Ojalá + subjuntivo	Ojalá no haya clase. Ojalá apruebe el examen.
Expresar confianza en que algo suceda	Espero + infinitivo (si los sujetos coinciden)	Espero llegar a tiempo. Espero aprobar el examen.
	Espero que + subjuntivo (si los sujetos son diferentes)	Espero que mi novio llegue a tiempo. Espero que te aprueben.

Gramática

Pista 4

¡Ojalá!

A. Escucha estas conversaciones e identifica las fotografías que se corresponden. Luego, completa el deseo.

a. ¡Ojalá ▓▓▓▓▓ bien! Espero que ▓▓▓▓▓ y ▓▓▓▓▓ buenas notas.

b. ¡Ojalá ▓▓▓▓▓ mucho dinero el día de mi cumpeaños! Espero que lo ▓▓▓▓▓ para algo bueno. Espero que ▓▓▓▓▓ ahorrar lo suficiente.

c. Espero que hoy no ▓▓▓▓▓ examen sorpresa de Historia. Ojalá el *profe* ▓▓▓▓▓ hoy otra actividad.

B. Un grupo de chicos de viaje tiene una lista de deseos para un futuro mejor. Léelos y completa la lista en tu cuaderno.

1. ¡Ojalá no sigamos destruyendo la naturaleza!
2. ¡Ojalá no existan tantas diferencias entre países!
3. ¡Ojalá que la gente no tenga que emigrar para huir de guerras y hambre!
4. Espero que llegue un día sin guerras.
5. Yo quiero que se utilicen más energías alternativas.

Actúo

4 DESCRIBE A TUS PROFESORES IDEALES

A. ¿Conoces los adjetivos de la siguiente lista? Relaciónalos con las ilustraciones.

1. Creativo/a
2. Preparado/a
3. Trabajador/-a
4. Claro/a
5. Amable
6. Organizado/a
7. Exigente
8. Divertido/a
9. Sabe escuchar
10. Puntual

a. ☐   b. ☐   c. ☐   d. ☐   e. ☐   f. ☐   g. ☐   h. ☐   i. ☐   j. ☐

B. El año que viene, en tu nuevo instituto, vas a tener nuevos profesores: ¿Qué esperas?

Utiliza las construcciones:
Espero que...
¡Ojalá...!

5 EL PROFESOR DESCRIBE LO QUE QUIERE DE SUS ALUMNOS

Pista 5

A. Escucha a este profesor y sus comentarios sobre las calificaciones. Toma nota de las calificaciones.

Evaluación del trimestre

Pepe Lobos Sanz _____
Ana López García _____
Angélica Charro Gil _____
José Gorris Martínez _____
Nacho Gómez Asenjo _____
María Sánchez Vila _____

B. Ahora vas a entrevistar a tu profe de español: ¿Qué espera de sus alumnos? ¿Cómo son para él/ella sus clases? Toma nota de sus respuestas.

CÓDIGO <C>

Tu clase funciona
- Redacta una lista de cómo queréis que sea la clase (los alumnos, el profesor y todo), para que todo funcione.

Una lengua, un mundo

¡Qué díficil!

Carla: No me va muy bien en clase de Español, saco malas notas, es que me cuesta mucho estudiar la gramática y escribir textos. No sé qué hacer.

Mario: Aprender un idioma extranjero puede ser más sencillo de lo que parece. Lo mejor es que practiques y leas mucho.

Nuria: Sí, tienes razón, Mario, pero lo primero de todo es que confíes en ti misma, que no seas vergonzosa y que pierdas el miedo a cometer errores al hablarlo. Disfruta al conocer nuevas palabras, nuevas culturas y nuevas formas de expresarte.

Mario: Sí, sí, pero ponte a estudiar en serio todos los días. No tienes por qué hacer siempre las mismas actividades. Va muy bien que cambies de actividades. Puedes hacer los deberes, leer un poco, escribir textos, repasar vocabulario o gramática, escuchar audios o ver un vídeo divertido.

Nuria: Mira, lo mejor es que busques personas nativas con intereses similares a los tuyos y que te comuniques con ellos por chat, foros... Eso te ayuda a mejorar tu fluidez.

Mario: Sí, sí, y es muy importante que repases lo que te corrige tu profesor y que hagas muchos ejercicios.

Nuria: Recuerda que lo más importante es que te diviertas y que quieras seguir aprendiendo. Si no estás motivado, no vas a querer seguir.

✔ Comprendo

1 ESCUCHA, LEE EL DIÁLOGO Y HAZ LAS ACTIVIDADES DE COMPRENSIÓN

A. **Relaciona las expresiones con su significado.**

1. No me va bien en...
2. Me cuesta mucho...
3. Confiar en ti mismo/a
4. Perder el miedo
5. Cometer errores
6. Ponerse a estudiar
7. Va muy bien...

a. Empezar a estudiar
b. Es positivo...
c. Hacer faltas o algo mal
d. No tener miedo
e. Para mí es difícil...
f. Tener confianza en uno/a mismo/a
g. Tengo problemas con...

B. **¿Quién le da estos consejos?**

	Mario	Nuria		Mario	Nuria
1. Hacer ejercicios y leer	☐	☐	6. Cambiar de actividades	☐	☐
2. Tener confianza	☐	☐	7. Hacer actividades diferentes	☐	☐
3. No importa si haces errores	☐	☐	8. Hablar con nativos	☐	☐
4. Disfrutar	☐	☐	9. Repasar las correcciones	☐	☐
5. Estudiar	☐	☐	10. Divertirse aprendiendo	☐	☐

C. Y a ti, ¿qué consejos te parecen más útiles?

D. Encuentra en el diálogo doce formas en subjuntivo y escribe el infinitivo en tu cuaderno.

Practico y amplío

2 APRENDE EL SUBJUNTIVO IRREGULAR

A. Completa el esquema.

Gramática

	VENIR	IR	PODER	TENER	HACER	SER	SALIR
(yo)	venga	vaya	pueda	....	haga	sea	salga
(tú, vos)	....	vayas	....	tengas	....	seas	....
(él, ella, usted)	venga	vaya	....	tenga	haga	....	salga
(nosotros, nosotras)	vengamos	vayamos	podamos	....	hagamos	seamos	....
(vosotros, vosotras)	....	....	podáis	tengáis	....	seáis	salgáis
(ellos, ellas, ustedes)	vengan	vayan	puedan	....	hagan	sean	....

Verbos irregulares

B. ¿Qué podemos recomendar para no tener problemas con el español? Relaciona y escribe cuatro frases con los verbos en subjuntivo, como en el ejemplo. Añade dos consejos más.

1. Para escribir sin errores
2. Para corregir la pronunciación
3. Para mejorar tu gramática
4. Para ser más fluido
5. Para aprender más léxico

Va muy bien

a. Hacer muchos ejercicios
b. No ser tímido y no tener vergüenza
c. Escuchar mucho y poder repetir muchas veces
d. Ir a la biblioteca y leer mucho
e. Venir a clase, no traducir

1. Para escribir sin errores va muy bien que vengas a clase y que no traduzcas.
2.
3.
4.
5.
6.
7.

3 EXPRESA FINALIDAD

A. Unos chicos han explicado los motivos por los que estudian español.
Completa las frases con porque, para o para que.
Estudio español...

1. .... conseguir un trabajo en el extranjero.
2. .... tengo un examen.
3. .... pienso viajar a Chile.
4. .... mis padres me regalen un viaje a Argentina.
5. .... mi primo pueda regalarme películas en V.O.
6. .... chatear en español.

Gramática

Para + infinitivo si el sujeto de la principal y el de la subordinada coinciden.

Para que + subjuntivo si los sujetos son diferentes.

¡Ojo! Por/Porque se utilizan para expresar la causa.

B. Une las dos partes y completa con el verbo en la forma correcta.

1. Ha avisado a sus amigos
2. Ha ahorrado dinero
3. Ha enviado una postal a su abuela
4. Se ha comprado un ordenador nuevo
5. Va a hacer una fiesta
6. Se ha llevado un gato con ella
7. Lola va a aprender bien portugués
8. Ha contactado con una amiga peruana

a. Para que le (dar) _____ clases de español.
b. Para (navegar) _____ más rápido.
c. Para que (vivir) _____ con ella.
d. Para (celebrar) _____ su cumpleaños.
e. Para (comunicar) _____ con sus primas.
f. Para que no se (sentir) _____ sola.
g. Para (comprar) _____ una motocicleta.
h. Para que (venir) _____ todos a su fiesta.

4 HABLA DE DIFICULTADES

(yo)	me	cuesta	{ la gramática / entender la gramática
(tú, vos)	te		
(él, ella, usted)	le		
(nosotros, nosotras)	nos	cuestan	{ los ejercicios orales
(vosotros, vosotras)	os		
(ellos, ellas, ustedes)	les		

Gramática

A. Escucha los problemas de estos chicos con el estudio de un idioma. Anota sus dificultades.

¡Cómo me cuesta!

alumno clase
aprender
pupitre léxico

Jamón, Jorge, jota

Vaya
Vayas
Vaya...

la velocidad a la que hablan los españoles

1. _____
2. _____
3. _____
4. _____
5. _____

B. ¿Qué problemas tenéis en vuestro curso? Poned en común vuestras dificultades utilizando las expresiones anteriores. Escribidlas en vuestro cuaderno.

C. Responde a las preguntas.

1. ¿Por qué estudias español?
2. ¿Qué es lo que te gusta hacer en clase?
3. ¿Qué te cuesta más del español?
4. ¿Tienes posibilidades de practicar el español fuera de clase?
5. ¿Has estado en algún país latinoamericano?

Actúo

 5 ORGANIZA TU APRENDIZAJE

Descubre qué tipo de estudiante de idiomas eres.
Realiza esta encuesta.

TEST de APRENDIZAJE

A. ¿Necesitas estar viendo al profesor durante la clase?
1. ☐ Sí, es fundamental.
2. ☐ No necesariamente, siempre que hable en voz alta.
3. ☐ No, porque no me importa lo que explique.

B. ¿Qué método de aprendizaje prefieres?
1. ☐ Dibujos y diagramas.
2. ☐ Únicamente el profesor hablando y con canciones.
3. ☐ Ejemplos prácticos y ejercicios.

C. ¿Tomas apuntes durante la clase?
1. ☐ Sí, luego los necesito para estudiar.
2. ☐ No, solamente intento prestar mucha atención.
3. ☐ No, prefiero una clase más activa que estar tomando notas.

D. ¿Te gusta que tu profesor ponga ejemplos del uso del idioma?
1. ☐ Sí, siempre que sean claros.
2. ☐ No, prefiero que hable más en clase.
3. ☐ Sí, porque me permite entender mejor el idioma.

E. ¿Prefieres que el profesor se centre más en la pronunciación que en el deletreo?
1. ☐ No, porque solo aprendo las palabras si sé cómo se escriben antes.
2. ☐ Sí, identifico mejor cómo se deletrean si las pronuncia antes.
3. ☐ Creo que ambas cosas son importantes.

Respuestas:
Estudiante «Visual»: si la mayor parte de tus respuestas se corresponden con la opción 1.
Estudiante «Auditivo»: si la mayor parte de tus respuestas se corresponden con la opción 2.
Estudiante «Kinestésico»: si la mayor parte de tus respuestas se corresponden con la opción 3.

 ## CÓDIGO <Ñ>

Tu estilo español
● Elige las actividades que te van bien para aprender español y escribe un texto.

☐ trabajo con fotos
☐ películas o vídeos
☐ ejercicios de gramática

☐ concursos
☐ fiestas
☐ charlas

☐ juegos
☐ dictados
☐ juegos de roles

☐ leer textos
☐ canciones populares

Participa
en la comunidad de
Código ELE

Forma un grupo con los compañeros que se parecen a ti
en tu forma de aprender y cread un club para practicar
español. Publícalo.

Extensión digital
www.edelsa
Zona estudiante

Tu biblioteca de español

GABRIEL CELAYA
ANTOLOGÍA

Mayo 1990
Alhambra Longman

Gabriel Celaya

Gabriel Celaya es uno de los poetas españoles de después de la Guerra Civil española (1936 – 1939) más importantes. Lee este poema.

Educar

Educar es lo mismo
que poner un motor a una barca,
hay que medir, pensar, equilibrar,
y poner todo en marcha.

Pero para eso,
uno tiene que llevar en el alma
un poco de marino,
un poco de pirata,
un poco de poeta,
y un kilo y medio de paciencia concentrada.

Pero es consolador soñar,
mientras uno trabaja,
que esa barca, ese niño
irá muy lejos por el agua.

Soñar que ese navío
llevará nuestra carga de palabras
hacia puertos distantes, hacia islas lejanas.

Soñar que cuando un día
esté durmiendo nuestro propio barco,
en barcos nuevos seguirá nuestra bandera enarbolada.

Biografía

Nació en Hernani (Guipúzcoa, España) en 1911. Fue uno de los poetas más conocidos de la llamada «poesía comprometida» o poesía social de la postguerra española. En Madrid, empezó a estudiar Ingeniería, pero conoció a otros poetas, como Federico García Lorca, que le motivaron por la literatura. Entre 1977 y 1980, se publicaron sus *Obras completas* en cinco volúmenes y, en 1986, recibió el Premio Nacional de las Letras Españolas por el Ministerio de Cultura. Murió en Madrid en 1991.

COMPRENDO

1. Responde a las preguntas. Luego, resume con tus palabras el contenido del poema.
1. ¿Qué es para el poeta educar? ¿A quién se dirige con su poema, al profesor o al alumno?
2. El poeta compara educar con hacer que un barco navegue. ¿Qué similitudes hay entre las acciones?

2. Relaciona.
1. Educar es como…
2. Para educar es necesario…
3. Es gratificante…
4. Si piensas que un día,…
5. Es agradable pensar que…

a. cuando ya no estés, quedarán tus enseñanzas en otros alumnos.
b. poner un barco en funcionamiento.
c. tu alumno hará cosas importantes fuera de la escuela.
d. saber que tu alumno aprenderá.
e. tener varias habilidades.

APRENDO

1. Subraya en el texto todas las palabras relacionadas con barcos y navegar y relaciónalas con estas.
a. Avanzar, aprender b. Por la vida c. Alumno d. Conocimiento
e. Lugares lejanos f. Otras ciudades g. Señal

2. ¿Qué crees que quiere decir el poeta cuando dice que uno tiene que ser lo siguiente?
a. un poco de marino b. un poco de pirata c. un poco de poeta

ESCRIBO

Ahora escribe tú un poema sobre una actividad (aprender lenguas, hablar idiomas, cocinar…) completando los versos con las instrucciones que te damos:

……………….. (un verbo que represente la actividad) es lo mismo
que …………………………………….. (una comparación),
hay que ……………. , …………….., ……………., (tres verbos que los representen)
y poner todo en marcha.

Pero para eso,
uno tiene que llevar en el alma
un poco de …………….,
un poco de …………….,
un poco de ……………., (tres personajes)
y un kilo y medio de ………………………. . (un sustantivo + un adjetivo)

Pero es consolador soñar,
mientras uno trabaja,
que esa ……………., ese ……………. (los dos sustantivos que representan la comparación)
irá muy lejos por …………….. . (un lugar)

Soñar que ese …………….. (sinónimo de la comparación)
llevará …………….. (expresión)
hacia …………….., hacia …………….. . (dos lugares)

Soñar que cuando un día
esté durmiendo nuestro propio ……………., (otro sinónimo de la comparación)
en ………….. nuevos seguirá nuestra bandera enarbolada.

Tu rincón hispano
Ojalá que llueva café

OJALÁ QUE LLUEVA CAFÉ Juan Luis Guerra (República Dominicana)

1. Pon estos verbos en tercera persona del subjuntivo. Luego, lee y completa esta conocida canción con las formas del subjuntivo tantas veces como indican los números.

bajar _____ (2)
caer _____ (1)
cantar _____ (1)
continuar _____ (2)
llover _____ (24)
oír _____ (3)
peinar _____ (2)
sembrar _____ (2)
sufrir _____ (2)
vestir _____ (2)

Ojalá que _____ café en el campo,
que _____ un aguacero* de yuca y té;
del cielo, una jarina* de queso blanco
y al sur, una montaña de berro y miel.
Oh, oh, oh, oh, oh. Ojalá que _____ café.

Ojalá que _____ café en el campo,
que _____ un alto cerro de trigo y mapuey*,
que _____ por la colina de arroz graneado
y _____ el arado con tu querer.
Oh, oh, oh, oh, oh.

Ojalá el otoño, en vez de hojas secas,
_____ mi cosecha de pitisalé*
y _____ una llanura de batata y fresas.
Ojalá que _____ café.

'Pa'* que en el Conuco* no se _____ tanto, ay ombe,
ojalá que _____ café en el campo.
'Pa' que en Villa Vásquez* _____ este canto,
ojalá que _____ café en el campo.
Ojalá que _____, ojalá que _____, ay ombe.
Ojalá que _____ café en el campo, ojalá que
_____ café...

Ojalá que _____ café en el campo,
_____ un alto cerro de trigo y mapuey
_____ por la colina de arroz graneado,
y _____ el arado con tu querer.
Oh, oh, oh, oh, oh.

Ojalá el otoño, en vez de hojas secas,
_____ mi cosecha de pitisalé
y _____ una llanura de batata y fresas.
Ojalá que _____ café.

'Pa' que en el Conuco no se _____ tanto, oye,
ojalá que _____ café en el campo.
'Pa' que en Los Montones* _____ este canto,
ojalá que _____ café en el campo.
Ojalá que _____, ojalá que _____, ay ombe.
Ojalá que _____ café en el campo, ojalá que
_____ café...

'Pa' que todos los niños _____ en el campo,
ojalá que _____ café en el campo.
'Pa' que en La Romana* _____ este canto,
ojalá que _____ café en el campo.
Ojalá que _____, ojalá que _____, ay ombe.
Ojalá que _____ café en el campo, ojalá que
_____ café...

2. Si puedes, escucha la canción.

aguacero*: Lluvia fuert[e]

jarina*: Lluvia fina.

mapuey*: Parecido a la pata[ta]

pitisalé*: Tocino salad[o]

'Pa'*: Para.

Conuco*: Pequeña finc[a]

Villa Vásquez*: Pueblo.

Los Montones*: Pueblo.

La Romana*: Ciudad.

3. Relaciona cada imagen con el término correspondiente.

1. café
2. yuca
3. té
4. queso
5. berro
6. miel
7. trigo
8. mapuey
9. arroz
10. arado
11. hojas secas
12. pitisalé
13. batata
14. fresas

4. Responde a estas preguntas en tu cuaderno.

a. La República Dominicana es un país agrícola y muy pobre. ¿Qué simboliza el título de la canción?
   ¿Cuál es el significado de las otras cosechas y las otras imágenes?
b. ¿Qué espera Juan Luis Guerra para su pueblo cuando canta?
c. ¿Cuál es el tono de la canción? ¿Es optimista o pesimista?

5. Copiando la estructura, el ritmo, la música, cambia palabras y lugares y crea tu propia canción.

Variantes del español

Relaciona estas variantes con su significado.

1. Archivador	a. Birome
2. Aula	b. Computadora
3. Bolígrafo	c. Fichero o archivero
4. Deberes	d. Pizarrón
5. Licenciarse	e. Recibirse
6. Ordenador	f. Salón de clase
7. Pizarra	g. Tarea

AHORA YA SÉ

Comunicación

Recomendar

1. ¿Qué es lo mejor que puedes hacer en estas situaciones?

1. Tu *profe* te ha suspendido.
2. La directora de tu instituto busca al culpable de una mala acción.
3. Tu habitación está desordenada.
4. Para estudiar bien.
5. Para comprender una película en V.O.

Hablar de dificultades

2. Completa las frases según tu experiencia.

1. A mí me cuesta/n
2. A mí no me cuesta/n
3. Para mí lo más fácil es/son
4. Para mí lo más difícil es/son

Gramática

El presente de subjuntivo

3. Verbos regulares. Escribe la persona indicada del presente de subjuntivo de estos verbos regulares.

1. Limpiar (yo)
2. Cantar (nosotros)
3. Desayunar (él)
4. Beber (tú)
5. Correr (vosotras)

6. Comer (ustedes)
7. Romper (ella)
8. Vivir (ellos)
9. Prohibir (usted)
10. Escribir (yo)

4. Observa los verbos irregulares en subjuntivo, escribe el infinitivo y forma la persona singular o plural.

1. Tengáis
2. Hagan
3. Pongamos
4. Salgas
5. Vayan
6. Venga
7. Puedan
8. Vuelva
9. Dé

Expresar deseos

5. Formula un deseo, como en el modelo.

1. ¡Que paséis un buen fin de semana!
2. _____
3. _____
4. _____
5. _____
6. _____
7. _____
8. _____

a.
b.
g.
e.
f.
d.
c.

Léxico

6. Relaciona los contrarios.

1. Accesible	a. aburrido/a
2. Alegre	b. antipático/a, frío/a
3. Amable, atento/a	c. apático/a, inactivo/a
4. Claro/a	d. benévolo/a
5. Competente	e. desorganizado/a
6. Creativo/a	f. difícil de entender
7. Curioso/a	g. improvisado/a
8. Dinámico/a	h. impuntual
9. Divertido/a	i. inaccesible, distante
10. Exigente	j. incompetente
11. Flexible	k. intolerante, rígido/a
12. Organizado/a	l. monótono/a
13. Preparado/a	m. pasivo/a
14. Puntual	n. triste
15. Trabajador/-a	ñ. vago/a

7. Ahora elige cinco adjetivos y crea una frase con cada uno que aclare su significado.

1. _____
2. _____
3. _____
4. _____
5. _____

Preparo
mi examen

LEO · Lee este texto y subraya la opción correcta.

La Educación Secundaria Obligatoria (ESO) es una etapa educativa obligatoria y gratuita que completa la clase/educación básica. Consta de cuatro cursos académicos/divertidos que se realizan entre los 12 y los 16 años de edad. Presta especial atención a la orientación personal/profesional, ya que, al finalizar, los alumnos optarán por empezar a trabajar o por formarse para ir a la universidad. Por último, forma a todos para el ejercicio de sus derechos y obligaciones en la vida como ciudadanos/personas.

Durante los tres primeros años/días, los alumnos podrán elegir una asignatura obligatoria/optativa entre Segunda Lengua Extranjera, Cultura Clásica, Inglés para la Hostelería o Teatro. En el último curso, los alumnos/profesores eligen tres asignaturas entre una oferta de ocho, dirigiendo así su formación/vida a lo que quieren hacer en el futuro/pasado: Biología y Geología, Educación Plástica y Visual, Física y Química, Informática, Latín, Música, Segunda Lengua Extranjera, Tecnología.

ESCUCHO · Escucha a Gabriel y Rocío hablando de estudiar lenguas y responde a las preguntas.

Pista 8

1. ¿Por qué habla alemán Rocío?

2. ¿Cómo lo habla?

3. ¿Qué puede hacer Gabriel para aprender la lengua?

ESCRIBO · Responde a las preguntas.

1. ¿Te interesan las lenguas extranjeras? ¿Por qué?

2. ¿Qué lenguas hablas? ¿Cómo las has aprendido?

3. ¿Qué es lo que más te interesa cuando aprendes una lengua?

4. ¿Cómo crees que se puede mejorar el aprendizaje de las lenguas?

5. ¿Qué habilidades te gustaría practicar más cuando estudias lenguas extranjeras?

HABLO · Habla con tu compañero sobre la escuela. Explícale cuáles son tus asignaturas favoritas y cuáles no te gustan nada y por qué. Dile también qué cosas de la escuela en general te gustan y cuáles no y motívalo.

arte
y aparte

La lectora

Isabel Guerra Peñamaría

Observa

Describe el cuadro. Para ello, responde a estas preguntas:

¿Qué partes de la habitación están iluminadas y qué partes están a oscuras?

¿Qué es lo que más se destaca del cuadro?

Se mezclan objetos antiguos con otros más actuales. Señala dos de cada.

¿Cuál es la actitud de la chica? ¿Cómo está?

Comenta

Analiza estos aspectos.

A la pintora se la llama «la pintora de la luz». ¿Por qué crees que se le da este título?

¿Tienes la impresión de que…

    a. has entrado en la habitación de la chica?

    b. la chica está absorta y nota tu presencia?

    c. la chica se aburre?

¿Cómo definirías el estilo del cuadro: fotográfico, expresionista, naif, moderno, antiguo, atemporal?

Da tu interpretación

¿Qué sentimiento te provoca el cuadro?

¿Te gusta? ¿Por qué?

UNIDAD 3

Define qué es la amistad

En esta unidad aprendes a...

- Describir personas por su carácter y personalidad.
- Expresar tu relación con otras personas y justificarla.
- Mostrar simpatía o antipatía por alguien y justificarla.
- Opinar afirmativa o negativamente.
- Indicar los sentimientos que te provoca algo o alguien.
- Formular deseos en situaciones concretas.
- Definir el concepto de la amistad.

Escucha, identifica de quién hablan y anota una expresión de carácter, estado o sentimiento en tu cuaderno.

Pista 9

Describe cómo eres

¡Me cae fenomenal!

Pista 10

Diego: ¿A ti quién te cae bien de clase?

Belén: Me cae muy bien Arturo, es muy optimista.

Diego: A mí no me cae bien, se enfada mucho.

Belén: Bueno, se enfada cuando hay motivos. Pero creo que es muy simpático con todo el mundo y parece sincero. ¿Y a ti, quién te cae mejor?

Diego: Me cae fenomenal Marta. Es muy divertida.

Belén: No creo que sea divertida, creo que es muy egoísta y bastante aburrida. En cambio, Julia es muy simpática. Parece seria, pero si la conoces mejor es muy divertida.

Diego: Pues a mí me cae fatal. Yo creo que es falsa. Simpático es Manolo.

Belén: ¡Qué va! Manolo es muy pesimista. Para él, siempre vamos a suspender o el profesor nos va a castigar. Además, nunca he podido hablar con él a solas.

Diego: Porque es tímido. Pero es muy bromista.

Belén: De todas formas, lo que no entiendo es cómo somos tú y yo tan amigos. No tenemos los mismos gustos en cuestión de personas...

Diego: Pero tenemos el mismo carácter, somos abiertos, responsables y divertidos.

Belén: Claro, claro. Y modestos. No te olvides.

✓ Comprendo

1 ESCUCHA, LEE EL TEXTO Y HAZ LAS ACTIVIDADES DE COMPRENSIÓN

A. Observa las imágenes. ¿A qué amigo crees que corresponde cada una?

a.

b.

c.

d.

B. Completa el cuadro con los adjetivos de carácter del diálogo. Después, compara tu elección con la de tu compañero.

Positivos	Negativos

Practico y amplío

2 **DESCRIBE EL CARÁCTER**

A. **Relaciona los adjetivos de carácter con sus contrarios.**

1. Extrovertido   a. Generoso
2. Egoísta   b. Miedoso
3. Optimista   c. Pesimista
4. Perezoso   d. Realista
5. Soñador   e. Tímido
6. Valiente   f. Trabajador

B. **Responde a las preguntas.**

1. ¿Cómo son las personas que tienen miedo de los fantasmas?
2. ¿Y las personas a quienes les gusta mucho gastar bromas?
3. No te gusta trabajar, te cuesta mucho levantarte. ¿Cómo eres?
4. Te gusta ayudar a los demás; compartes tus cosas. ¿Cómo eres?
5. No te gusta mentir e intentas decir siempre la verdad. ¿Cómo eres?
6. ¿Cómo son las personas con las que nunca te ríes?

C. **Lee la información sobre estos chicos y explica, con uno de los adjetivos, cómo son.**

3 **MUESTRA SIMPATÍA O ANTIPATÍA**

Para expresar que alguien nos gusta o no nos gusta, que nos resulta simpático o antipático usamos la expresión: Caer bien/mal. El verbo caer concuerda con la persona de quien se habla y el pronombre (me, te, le, nos, os, les) se refiere a la persona que da su opinión.

Tras el verbo caer podemos usar bien o mal, pero también: estupendamente, fenomenal, fatal, de pena, etc.

Gramática

A. Responde a las preguntas, como en el ejemplo.

1. ¿Qué actor te cae bien? ¿Por qué?
2. ¿Cuál te cae mal? ¿Por qué?
3. ¿Qué cantante te cae bien?
4. Piensa en un personaje famoso y di cómo te cae y por qué.

Y a ti, ¿qué tal te cae Pepe?

Me cae muy bien, me parece muy simpático.

Pues a mí no me caen bien ni él ni su hermano, me parecen muy egoístas.

B. Subraya la opción correcta.

1. *Luis/Tú/Ana y Pepa* me cae fenomenal.
2. A Pepe yo *te/le/me* caigo muy mal.
3. Tú me *caigo/caes/cae* estupendamente.
4. ¿Te *caen/caes/cae* bien Luis y Sara?
5. Dime, ¿*le/me/te* caigo bien? Porque tú a mí me gustas mucho.
6. Oye, yo, ¿cómo te *caigo/caes/cae*? Nunca me lo has dicho.

Pista 11

¿Te cae bien?

C. Escucha y marca si les caen bien los compañeros y anota por qué.

☹	☺	
☐	☐	Aurora
☐	☐	Matías
☐	☐	Luis
☐	☐	Rosa
☐	☐	Lorenzo
☐	☐	Antonio

4 EXPRESA TU OPINIÓN

Gramática

OPINAR
Se utiliza un verbo de opinión (como pensar, creer, parecer) + que + indicativo si es una pregunta o es una afirmación. ¿No crees que **es** muy valiente? Creo que **es** muy valiente.
Se utiliza con subjuntivo si está negado. No creo que **sea** valiente.

A. Completa con el verbo ser en indicativo o subjuntivo.

1. No creo que tú _____ sincero.
2. No me parece que tus amigos _____ valientes.
3. ¿Crees que mis hermanas _____ generosas?
4. Pienso que Leonardo _____ divertido.
5. Pienso que tú no _____ realista.
6. No me parece que _____ amable.

B. Completa las frases dando la opinión contraria.

1. -Yo creo que Ana _____ .
   -Pues nosotros no creemos que sea autoritaria.
2. -Creo que (tú) _____ .
   -Pues yo creo que no soy desordenado.
3. -¿Qué piensas de Jacinto? ¿Te parece muy serio?
   -No _____ .
4. -A mí Jesús me parece muy simpático.
   -Pues yo no _____ .

Actúo

A. Elige cuatro adjetivos positivos que describan tu personalidad.

B. Ahora sigue las siguientes instrucciones:

TEST personalidad

Explicación

La primera pregunta define las prioridades, ¿qué es más importante para ti en la vida?: la vaca significa la carrera profesional; la oveja, el amor; el caballo, la familia y el cerdo, el dinero.

En la segunda pregunta, el perro es uno mismo; el gato, tu pareja; la rata, tus enemigos y el pez, tu vida. ¿Qué adjetivo das a cada uno?

En la tercera pregunta, el amarillo es alguien a quien nunca olvidaremos; el naranja, un buen amigo; el rojo, la persona a quien más queremos y el blanco, el alma gemela.

1. Ordena del 1 al 4 los animales según tus preferencias.

☐ Vaca   ☐ Oveja   ☐ Cerdo   ☐ Caballo

2. Escribe una palabra que defina a cada uno de los siguientes.

Perro   Gato   Rata   Pez

3. Piensa en alguien cercano a ti para cada color.

a. Amarillo
b. Naranja
c. Rojo
d. Blanco

C. Lee la explicación de lo que acabas de hacer. ¿Los resultados son coherentes con tu personalidad? Expresa tu opinión.

CÓDIGO <P>

Tu personalidad
• Describe cómo eres.

Participa en la comunidad de Código ELE

Date a conocer en el blog.

Extensión digital
www.edelsa
Zona estudiante

Lección 6 Indica tus relaciones con los demás

Comunicación por facebook

facebook

Hoy estoy fatal. Me siento traicionada. Primero, mi madre se ha enfadado conmigo porque no hago las cosas como ella quiere. No soy como ella y lo sabe, pero no lo quiere aceptar.

Luego, he buscado en el chat a Rosa, mi mejor amiga, pensaba yo; me sentía cansada después de la discusión con mi madre y necesitaba hablar con alguien cercano a mí. Rosa estaba nerviosa, fría, distante. Le he preguntado qué le pasaba y no quería responder. He insistido, le he dicho que me sentía mal y que necesitaba su amistad. Entonces me ha soltado la bomba: está saliendo con Miguel. ¡¡¡Con Miguel!!! Sabe perfectamente que me gusta, pero no le ha importado nuestra amistad. Es tremendamente egoísta y no sé cómo no me he dado cuenta hasta ahora. Me temo que nuestra amistad ha terminado y no es justo porque me cae muy bien, somos buenas amigas, me entiende. Me da pena que termine así, pero ya no puedo confiar en ella. Estoy muy enfadada y cansada.

facebook

He discutido en el chat con Luisa, pero creo que todo ha salido bien. Estaba enfadada porque se había peleado con su madre y yo no quería decirle lo de Miguel, pero yo estaba nerviosa y ella ha notado algo, así que se lo he dicho. No le ha gustado nada, pero creo que no me culpa y, en el fondo, me alegra que lo sepa porque ahora no tenemos que ocultar nada, así que estoy muy contenta. Me da pena que esté sola, pero seguro que me entiende y está feliz por mí. Somos amigas y, aunque me pone nerviosa muchas veces con sus líos con su madre, la quiero mucho. Luisa, te quiero. Nos vemos el lunes en clase.

Comprendo

1 LEE EL TEXTO Y HAZ LAS ACTIVIDADES

A. Contesta a las preguntas.

1. ¿Cómo está Luisa?
2. ¿Cómo está Rosa?
3. ¿Qué relación tienen Luisa y Rosa?
4. ¿Qué relación tienen Luisa y Miguel?
5. ¿Qué relación tienen Rosa y Miguel?
6. Por lo que has leído, ¿qué piensas de Luisa?
7. ¿Y de Rosa?

B. Relaciona.

1. Luisa está cansada
2. A Luisa le da pena cerrar su amistad con Rosa
3. Rosa está nerviosa
4. A Rosa le pone nerviosa Luisa

a. porque discute mucho con su madre.
b. porque ha discutido con su madre.
c. porque le gusta estar con ella.
d. porque no quiere contar lo de Miguel.

Practico y amplío

2 EXPRESA ESTADOS DE ÁNIMO

 ¿Qué te pasa?

Estoy muy nervioso por el examen.

 ¿Te pasa algo?

Me siento triste porque he discutido con Juan.

Me siento + bien/mal/fenomenal/fatal/tranquilo/cansado/traicionado/engañado/herido...
Estoy + bien/mal/fenomenal/fatal/tranquilo/cansado/contento/triste/nervioso/asustado/sorprendido/agitado...

Gramática

Asocia las situaciones con tus reacciones. Luego, escribe en tu cuaderno las frases usando por o porque como en el ejemplo.

1. Tu mejor amigo se cambia de escuela
2. Hoy tienes un examen
3. Tu amiga te ha roto el móvil
4. Llevas unos días sin dormir bien
5. Te han regalado un viaje a París

a. Estoy contento
b. Estoy enfadado
c. Estoy nervioso
d. Me siento cansado
e. Me siento triste

Me siento triste porque mi amigo se cambia de escuela o me siento triste por mi amigo.

Se utiliza una expresión de sentimiento (como me da pena, me molesta, me alegra, me da miedo…) + **infinitivo** si el sujeto es el mismo (si se reacciona ante lo que hacemos).
Me alegra **celebrar** mi cumpleaños.
A mi amigo le da pena **cambiarse** de colegio.
Se utiliza con que + **subjuntivo** si los sujetos son distintos (si se reacciona ante lo que hacen otras personas).
Me alegra que tú **celebres** tu cumpleaños.
A mi amigo le da pena que yo me **cambie** de colegio.

Gramática

Pista 12

¿Qué te pasa?

A. Escucha y escribe en tu cuaderno las situaciones y las reacciones de los protagonistas. Luego, escribe las frases como en el ejemplo.

A Lourdes le da miedo que le roben…

Lourdes

Santiago

Leonardo

Ana

Ramón

Elena

B. Observa los subjuntivos irregulares y transforma las frases como en el ejemplo.

1. Me molesta hacer errores. ⟶ Me molesta que (tú) *hagas errores.*
2. Me preocupa tener hambre. ⟶ Me preocupa que (tú)
3. Me da miedo caerme por las escaleras. ⟶ Me da miedo que os
4. Me hace feliz ir a la playa. ⟶ Me hace feliz que tus amigos
5. Me parece bien salir con mis amigos. ⟶ Me parece bien que (tú)
6. Me da igual venir a esta escuela. ⟶ Me da igual que (vosotros)

C. Observa la lista. Explica qué cosas te molestan o te dan pena y cuáles te alegran o te hacen feliz. Haz las transformaciones necesarias.

Me molesta que la gente hable en el cine.

1. La gente habla en el cine.
2. Vas a la piscina con tus amigos.
3. Tus amigos vienen a tu casa.
4. Tus amigos suspenden un examen.
5. Nosotros no te decimos la verdad.
6. Tus amigos no tienen tiempo para nada.

Actúo

 4 **DEFINE LA AMISTAD**

Lee las definiciones de la palabra amistad que dan algunos chicos. ¿Cuál se acerca más a tu idea de amistad?

EL FORO DE LA AMISTAD

 kriskros — La amistad, la verdadera amistad, es ser como de la familia. A mis verdaderos amigos los llamo *hermanos/as* y los quiero y me preocupo por ellos como de las personas de mi familia. Son personas con las que estoy especialmente cómodo haciendo cosas, mirando al infinito, escuchándolos, contándoles mis problemas. Cada uno es diferente, todos son igual de especiales. Yo los llamo, al igual que a mi familia, «el sitio al que regresar».

 juantrigoJuan — Tal vez amig@ es aquella persona con la cual puedes pasarte horas en el mismo banco, en silencio.

 Jorge — La amistad es el recuerdo vivido y compartido de lo bueno y lo bello.

 Lina — Mejor son dos que uno… siempre es bueno tener cerca a alguien que te acepta como eres, que te acompaña en el camino, que ayuda cuando más lo necesitas, que llora y ríe contigo y también es muy gratificante ayudar a alguien, acompañarlo, llorar y reír con él…

 hectorlopezozuna — ES CONJUGAR EL VERBO EN NOSOTROS.

 Eva — Los amigos son la familia que escogemos tener, no la que nos toca tener.

 Isabel — Para mí es saber que hay alguien que me ayuda a afrontar los duros momentos, que me tiende su mano, que me hace reír, que está siempre sin pedírselo y sabe cuándo y dónde debe estar, alguien que tiene la palabra justa en el momento exacto, que no pide nada a cambio del gran tesoro que nos regala a diario: su amistad. Los amigos verdaderos existen y se cuentan con los dedos de una mano.

 Del campo — La amistad verdadera es no mentir, no traicionar.

 # CÓDIGO <A>

Amistad
• Elabora una definición de la amistad. Preséntala a la clase y vota cuál es la mejor.

Tu biblioteca de español

Jorge Bucay

Cuentos para pensar es una obra de 26 cuentos del escritor argentino. Lee este cuento.

— Vengo a verle, maestro, porque me dicen que no sirvo, que no hago nada bien, que soy torpe y bastante tonto. ¿Qué puedo hacer para que me valoren más?

El maestro, sin mirarlo, le dijo:

— Cuánto lo siento, muchacho, no puedo ayudarte, debo resolver primero mi propio problema. Quizá después… —y, haciendo una pausa, agregó— Si primero me ayudas tú a mí, después, tal vez, te pueda ayudar.

— E… encantado, maestro —titubeó el joven.

El maestro se quitó un anillo del dedo y dijo:

— Bien, ve al mercado. Debo vender este anillo. Es necesario que obtengas la mayor suma posible, pero no aceptes menos de una moneda de oro.

El joven tomó el anillo y ofreció el anillo a los mercaderes, pero, cuando mencionaba la moneda de oro, algunos reían, otros le volvían la cara y solo un anciano fue tan amable como para explicarle que una moneda de oro era demasiado para entregarla a cambio de un anillo como ese.

— No creo que yo pueda engañar a nadie respecto al valor del anillo, maestro —dijo—, lo siento, no se puede conseguir lo que me pediste.

— Qué importante lo que dijiste, joven —contestó sonriente el maestro.— Debemos saber primero el verdadero valor del anillo. Ve al joyero. ¿Quién mejor que él para saberlo? Dile que quieres vender el anillo y pregúntale cuánto te da por él. Pero no se lo vendas. Vuelve aquí con mi anillo.

El joyero examinó el anillo con su lupa, lo pesó y luego le dijo:

— Yo sé que con tiempo podríamos obtener por él cerca de 70 monedas, pero no sé. Si la venta es urgente, te daré 58.

El joven corrió emocionado a la casa del maestro a contarle lo sucedido.

— Siéntate —dijo el maestro después de escucharlo. — Tú eres como este anillo: Una joya, valiosa y única. Y como tal, solo puede evaluarte un verdadero experto. ¿Qué haces pretendiendo que cualquiera descubra tu verdadero valor? —y, diciendo esto, volvió a ponerse el anillo en el dedo pequeño.

«Todos somos como esta joya, valiosos y únicos, y andamos por los mercados de la vida pretendiendo que gente inexperta nos valore».

Adaptado de «El cuento del anillo», de *Cuentos para pensar*.

Biografía

Jorge Bucay es un escritor argentino. Nació en Buenos Aires en 1949. Es un psicodramatista, terapeuta y escritor. Se graduó como profesor y se especializó en enfermedades mentales. Ha sido vendedor ambulante de calcetines, de libros y de ropa deportiva, agente de seguros, taxista, payaso, almacenero, educador, actor, médico de guardia, animador de fiestas infantiles, psiquiatra, coordinador de grupos, columnista de radio, conductor de televisión y psicoterapeuta.

COMPRENDO

1. Relaciona los protagonistas con su adjetivo.

1. El muchacho	a. experto
2. El maestro	b. inseguro
3. Los mercaderes	c. inexpertos
4. El joyero	d. sabio
5. Todos	e. valiosos

2. Contesta.

a. ¿Por qué el joven va a hablar con el maestro?
b. ¿Por qué el maestro no le puede ayudar?
c. ¿Qué le pide el maestro?
d. ¿Consigue el joven vender el anillo?
e. ¿Quién da más valor al anillo?
f. ¿Cómo reacciona el joven?
g. ¿Qué representa el anillo?

APRENDO

1. Relaciona cada término con su significado correspondiente.

1. Torpe	a. Adorno de oro, plata, con piedras preciosas o sin ellas
2. Agregar	b. Añadir algo a lo ya dicho o escrito
3. Titubear	c. Cantidad
4. Suma	d. Dar
5. Entregar	e. Decir una mentira
6. Engañar	f. Lente de aumento
7. Conseguir	g. Obtener
8. Lupa	h. Que se mueve con dificultad o que hace las cosas mal
9. Joya	i. Que vale mucho, importante
10. Valiosa	j. Querer o intentar
11. Pretender	k. Vacilar en la elección o pronunciación de las palabras

2. En tu cuaderno, resume el texto.

ESCRIBO

En grupo.

Continuad el cuento imaginando por qué el joven tenía tan baja autoestima (ejemplos: algún amigo le había ofendido, su entrenador nunca le dejaba jugar en partidos oficiales...) e imaginad cómo va a cambiar su actitud frente al problema inicial.

Tu rincón hispano
Alerta amazónica

http://ngenespanol.com/

NATIONAL GEOGRAPHIC EN ESPAÑOL

Alerta amazónica

SUSCRÍBETE

INICIO | ARTÍCULOS | MULTIMEDIA | VIDEOS | TRAVELER | BLOG

Buscar en >>

La deforestación en toda la cuenca del río Amazonas, considerada el gran pulmón del mundo, es peor de lo que se creía hasta ahora. Fundamentalmente, porque las actividades humanas están degradando la selva amazónica al doble del ritmo estimado previamente. La región amazónica es un gigantesco ecosistema de selvas tropicales sobre una extensión de 7 millones de kilómetros cuadrados. También se la considera como la reserva biológica más rica del mundo, con millones de especies de insectos, plantas, pájaros y otras formas de vida, muchas de las cuales todavía no han sido registradas por la ciencia.

El río es quien regula el clima de casi toda América del Sur y sus árboles son los grandes procesadores de dióxido de carbono y suministradores de oxígeno. Un estudio señala que esa riqueza está bajo amenaza y que el principal factor de la deforestación es la tala indiscriminada de árboles, a lo que se han sumado ahora las actividades de la industria maderera en la región.

Sin embargo, un nuevo método de imagen por satélite permitió a los científicos identificar muchas zonas donde la floresta tropical ha sido reducida a través de lo que calificó como «una tala selectiva». En este tipo de deforestación solo se cortan ciertas especies de árboles comercializables y los troncos se transportan a los aserraderos ubicados fuera del campo.

La tala genera graves consecuencias ambientales. Entre ellas se produce una eliminación de la humedad característica de la selva y se aumenta el peligro de incendios, señalaron los científicos.

1. Lee el artículo y completa las frases.

La cuenca del río Amazonas está _____ .

El río regula _____ .

Actualmente la selva sufre dos peligros _____ .

La causa de la deforestación es _____ .

Las consecuencias ambientales de la deforestación son _____ .

2. Busca en el texto las palabras que significan:

cosa que constituye una posible causa de riesgo:

_____

extensión de terreno acotado y protegido para la preservación del ecosistema:

_____

plantas características de una zona:

_____

3. Escribe una frase para cada párrafo que resuma su información.

Bosque tropical amazónico

Talas en el bosque amazónico

El río Amazonas

Máscaras artesanales

Variantes del español

Relaciona estas variantes con su significado.

1. Gamberro, bromista
2. Guapo
3. Moreno
4. Muchacho, chico
5. Vago

a. Chavo, pibe
b. Flojo, perezoso
c. Lindo
d. Morocho
e. Pendenciero

Comunicación

Mostrar simpatía o antipatía

1. Responde a estas preguntas.

1. ¿Cómo le caes a tu mejor amigo?

2. ¿Cómo les caes a tus compañeros de clase?

3. ¿Cómo te cae tu hermano/a?

4. ¿Cómo te caen los futbolistas del Real Madrid?

5. ¿Cómo te cae tu vecino?

Expresar la opinión

2. Forma frases con las siguientes palabras.

1. creer – ser – no – ellos – simpático – tú

2. yo – egoísta – pensar – ser

3. tranquila – ser – María – creer – no

4. no – creer – autoritario – ser – yo – ellos

Expresar reacciones

3. Completa las frases.

1. Me molesta que mis padres

2. Me preocupa que mi profesor

3. Me pone nervioso que mi hermano

4. Me da pena que mis amigos

5. Me alegra que mi equipo

6. Me encanta que

7. Me pone triste que

8. Me divierte que

Expresar sentimientos

4. Relaciona.

1. ¡Qué mala suerte!   a. Os vais de excursión toda la clase.

2. ¡Qué pena!   b. Oyes un ruido extraño en tu casa.

3. ¡Qué rollo!   c. No puedo ir a la excursión.

4. ¡Qué vergüenza!   d. Tengo que estudiar toda la tarde.

5. ¡Qué bien!   e. Tengo que vestirme de payaso en la fiesta de mi hermana.

6. ¡Qué miedo!   f. Han suspendido el concierto de tu grupo favorito.

Gramática

El subjuntivo

5. Completa las frases con uno de estos verbos en subjuntivo.

> tener - venir - decir - hacer - salir

1. Me gusta mucho que (ellos) _____ a mi casa.
2. No quiero que (tú) _____ a estas horas.
3. No me gusta que (ella) _____ toda la habitación en desorden.
4. Me molesta que (vosotros) _____ eso de Andrés, es una buena persona.
5. Quiero que (nosotros) _____ los ejercicios antes de comer.

Contraste infinitivo/indicativo/subjuntivo

6. Completa con los verbos en la forma adecuada.

1. Creo que Antonio no (ser) _____ muy ordenado.
2. Me molesta (hablar) _____ de eso contigo. No me preguntes más.
3. No creo que (ser) _____ sinceros contigo.
4. Me fastidia que (comer) _____ tu bocadillo cuando estás en mi casa.
5. Nos alegra (tener) _____ noticias tuyas.

Los superlativos

7. Escribe el superlativo correspondiente.

1. Corto _____
2. Poco _____
3. Larga _____
4. Caros _____
5. Fácil _____
6. Grande (la casa) _____

Léxico

Adjetivos de personalidad

8. Relaciona los adjetivos con las imágenes y escribe una frase con cada uno.

> Tímido – Bromista – Autoritario – Perezoso – Miedoso

a.   b.   c.   d.   e.

Preparo
mi examen

Lee este texto y responde a las preguntas.

Había una vez un chico que estaba muy triste y se sentía muy mal. Al final enfermó y tuvo que estar todo el día en la cama sin poder moverse. Nadie venía a verlo y sufría mucho por ello, porque pensaba que no tenía amigos. Empezó a dejar pasar los días, triste y decaído, mirando el cielo a través de la ventana.

Pasó algún tiempo, cada vez más desanimado, hasta que un día vio una extraña sombra en la ventana: era un pingüino comiendo un bocadillo de chorizo que entró a la habitación, le dio las buenas tardes y se fue. El chico se extrañó mucho. Mientras meditaba sobre qué sería aquello, vio aparecer por la misma ventana un mono en pañales inflando un globo. Poco a poco, mientras seguían apareciendo personajes locos por aquella extraña ventana, ya no podía dejar de reír, al ver un cerdo tocando el tambor, un elefante saltando en cama elástica, o un perro con gafas que solo hablaba de política.

No se lo contó a nadie, pero esos personajes alegraron su espíritu y su cuerpo, y en muy poco tiempo este mejoró notablemente y pudo volver al instituto. Allí pudo hablar con sus compañeros y, entonces, sí contó todas las cosas tan raras que había visto. Mientras hablaba con su compañero de mesa, vio asomar algo extraño en su mochila. Le preguntó qué era, y tanto le insistió que finalmente pudo ver su contenido:

¡Allí estaban todos los disfraces que había utilizado su buen amigo para intentar alegrarle! Desde entonces, nuestro chico sabe que tiene muchos amigos que no permiten que se encuentre mal.

1. ¿Por qué enfermó?
2. ¿Por qué estaba cada vez más desanimado?
3. ¿Qué le hizo volver a estar alegre?
4. ¿A quién se lo contó finalmente?
5. ¿Qué descubrió en el instituto?

ESCUCHO Escucha la conversación entre Roberto y Diana y responde a las preguntas.

Pista 13

1. ¿Como son Miguel Ángel y Sara según ellos?
2. ¿Cómo le cae Miguel Ángel a Diana?
3. ¿Y Luisa y Lucas a Roberto?

Diana

Roberto

ESCRIBO Redacta un texto con las respuestas a estas preguntas.

1. ¿Cómo te sientes cuando te invitan a una fiesta y no conoces mucho a la persona que te invita?
2. ¿Te preocupa gustar? ¿Qué haces para gustar a los demás?
3. ¿Qué tipo de personas te gustan?

HABLO Habla con tu compañero sobre vuestra idea de la amistad. ¿Qué es la amistad? ¿Tenéis muchos amigos? ¿Cómo elegís a vuestros amigos?

arte
y aparte

Niños comiendo melón

Murillo

Observa
Describe el cuadro. Para ello, responde a estas preguntas:
¿Cómo son los personajes?
¿Qué hacen?

Comenta
Analiza estos aspectos.
Por la actitud de los niños, ¿cómo dirías que es su relación: de rivalidad, de compañerismo, de amistad, de odio? ¿Por qué?
Imagina que dibujamos dos líneas paralelas. Una va paralela con el brazo del niño de la izquierda; la otra, une las uvas de la cesta y los dos trozos de melón. ¿Qué se representa en cada una de las partes en las que queda dividido el cuadro?

Da tu interpretación
¿Te gusta? ¿Por qué?

UNIDAD 4

Vive de forma responsable

En esta unidad aprendes a...

- Dar una orden.
- Expresar una prohibición.
- Hacer promesas.
- Pedir y dar consejos.
- Ponerte en el lugar de otra persona y aconsejarle.
- Mostrar sentimientos y reacciones.
- Expresar voluntad y deseos personales.

Busca en la nube las expresiones o palabras relacionadas con las fotos. ¿Qué tienen en común? Anota más palabras.

El billete de metro

EL PASO DE CEBRA

El autocar **tarjeta tráfico**

EMBARQUE **tranvía**

LA ESTACIÓN DE TREN

EL AVIÓN El EL AUTOCAR TARJETA EL COCHE

El avión LA

señal tarjeta

señal **LA MOTOCICLETA** EL PASO DE CEBRA **tarjeta**

tráfico EL CARNÉ DE CONDUCIR EL AUTOCAR

El plano del metro

tráfico EMBARQUE EL PLANO DEL METRO tranvía

señal SEÑAL **LA EMBARQUE EL**

El avión TRÁFICO

embarque **EL BILLETE DE METRO**

El coche

LA ESTACIÓN DE TREN TRANVÍA tranvía

La

El carné de conducir

EL PLANO DEL METRO

La tarjeta de embarque

Prohibiciones y promesas

Junto a una autoescuela

Pista 14

Autoescuela

Cerrado

Nuria: ¡Hola, Tomás! ¿Qué haces por aquí?

Tomás: Estoy sacándome el carné de conducir motos. El mes que viene tengo mi examen.

Nuria: ¿De verdad? No me digas. Siempre has dicho que estabas en contra de las dos ruedas con motor. ¿Has abandonado tus patines?

Tomás: No, no, siguen siendo mis preferidos. Los tengo siempre en mi mochila.

Nuria: De todas maneras, ¿para qué necesitas el carné?

Tomás: Hace algún tiempo respondí a un anuncio en el que buscaban a un estudiante aficionado a la historia para un trabajo al aire libre durante los fines de semana.

Nuria: Sí, hasta mi hermano envió una solicitud.

Tomás: Bien, yo me había olvidado por completo. Bueno, pues hace un mes hice una entrevista y la semana pasada me dijeron que había pasado la selección. Pero tengo que disponer de un medio de transporte.

Nuria: ¿En qué consiste el trabajo?

Tomás: Voy a colaborar con un grupo de estudiantes de secundaria de la ciudad para una empresa que se ocupa de lugares arqueológicos.

Nuria: ¿De arqueología? ¡Venga ya! No me tomes el pelo.

Tomás: No, te lo digo en serio. Tenemos que analizar una serie de restos directamente en el sitio arqueológico. Por eso necesito un medio de transporte.

Nuria: ¡Qué suerte! Me parece que es un trabajo muy original.

Comprendo

1 ESCUCHA, LEE EL TEXTO Y HAZ LAS ACTIVIDADES DE COMPRENSIÓN

A. ¿Verdadero o falso? Corrige las falsas.

	V	F
1. Tomás se examina del carné la semana que viene.	☐	☐
2. La bici es el medio preferido por Tomás.	☐	☐
3. Tomás ha conseguido un trabajo en una empresa de arqueología.	☐	☐
4. Nuria le aconseja practicar con un grupo de estudiantes de secundaria.	☐	☐
5. Nuria va a ayudar a Tomás.	☐	☐
6. Tomás necesita el medio de transporte para obtener el trabajo.	☐	☐

B. Localiza estas expresiones en el diálogo y relaciónalas con su uso.

1. ¿De verdad? No me digas.
2. ¡Venga ya! No me tomes el pelo.
3. No, te lo digo en serio.
4. ¡Qué suerte!

a. Asegurar que una información es verdad.
b. Expresar alegría.
c. Indicar que algo no se cree.
d. Mostrar sorpresa.

C. Completa el texto.

Nuria y Tomás se _____ casualmente delante de la _____ donde Tomás se está sacando el _____ . Nuria se sorprende un poco _____ Tomás siempre se ha declarado contrario a _____ . La razón de este cambio es que Tomás ha encontrado un trabajo durante _____ y necesita utilizar un _____ para moverse más rápido.

Practico y amplío

2 DA UNA ORDEN O EXPRESA UNA PROHIBICIÓN

A. Observa y completa el esquema.

> No corran y no hablen en voz alta.

Imperativo negativo
No + forma del subjuntivo presente

	HABLAR	CORRER	ESCRIBIR
(yo)	no hable	....	....
(tú, vos)	no hables	....	....
(él, ella, usted)	....	....	no escriba
(nosotros, nosotras)	....	no corramos	....
(vosotros, vosotras)	....	no corráis	....
(ellos, ellas, ustedes)	....	....	no escriban

Gramática

B. ¿Ya conoces la señalización vial? Observa y escribe en tu cuaderno el significado de las señales utilizando estas expresiones.

- Adelantar a otro coche
- Andar por la carretera
- Dar la vuelta
- Girar a la derecha/izquierda
- Ir a más de 40/50/60
- Montar en bici por aquí
- Pasar
- Aparcar

C. Escucha a Tomás que está en clase de conducir con el instructor. ¿Qué señales ha encontrado?

1.
2.
3.
4.
5.

D. Vuelve a escuchar el diálogo y escribe las prohibiciones y las órdenes.

A. Muchos chicos discuten con sus padres porque quieren tener una motocicleta. Lee las objeciones de los padres y relaciona las respuestas de sus hijos. Indica quién hace las promesas.

Los padres de Nuria:

No, no te dejamos que te saques el carné, nos da miedo que te pase algo en la carretera, eres muy joven y un tanto irresponsable. No queremos que corras.

El padre de Nacho:

No estoy en contra de que vayas en moto, yo tuve una de joven, pero es absolutamente necesario que seas responsable. Acuérdate de tu primo que tiene una pierna escayolada porque tuvo un accidente de motocicleta cuando llovía. ¡Ten cuidado! ¡Es una orden!

La madre de María:

No, absolutamente no, no te doy permiso a que vayas por ahí en una moto. No, no y no.

Los padres de Carlos:

¡Es mejor que esperes a tener 18 años y a tener el carné de conducir! Prefiero que seas más adulto, más serio.

La madre de Marisol:

¡Tú estás loca! Te lo prohíbo tajantemente que te compres una moto: un *scooter* es demasiado peligroso. Yo confío en ti, pero no puedo confiar en los demás y, además, es muy cara.

Te juro que tendré cuidado y que estaré pendiente de lo que hagan los demás. Además, yo tengo dinero ahorrado y si me prestas algo, te lo devolveré.

a.

Te doy mi palabra de que no haré ninguna locura, que seré serio con la moto, de verdad.

b.

Os prometo que iré despacio, que no correré.

c.

Te aseguro que no la usaré si llueve o hace mal tiempo.

d.

Te juro que solo la usaré para ir al instituto.

e.

B. Ahora, subraya la opción que corresponde a los diálogos, completa con los verbos en la forma correcta del subjuntivo y comprueba tus respuestas anteriores.

1. Los padres de Nuria no le *dejan/prohíben* que se (sacar) _____ el carné porque les da miedo que le (pasar) _____ algo. No *están en contra/quieren* que (correr) _____ . Pero Nuria les promete que no correrá.

2. El padre de Nacho no está *de acuerdo/en contra* de que (ir) _____ en moto, pero cree que es absolutamente necesario que (ser) _____ responsable. Nacho le asegura que no la usará si llueve o hace mal tiempo.

3. La madre de María no le *prohíbe/impide* que (ir) _____ en moto por la ciudad y María le jura que solo la usará para ir al instituto.

4. Los padres de Carlos piensan que es *mejor/peor* que (esperar) _____ a los 18 años, para que sea más adulto y Carlos le da su palabra de que no hará ninguna locura y de que será serio.

5. La madre de Marisol le *autoriza/prohíbe* que se (comprar) _____ una moto, porque desconfía de los demás conductores y porque es cara, pero Marisol le jura que tendrá cuidado y que estará pendiente de lo que hagan los demás.

4 CONOCE EL FUTURO SIMPLE

A. Observa las promesas que hacen los chicos, subraya las formas de un nuevo tiempo verbal, es el futuro, y escribe el infinitivo.

B. Observa la forma del futuro y completa con las formas que faltan.

	ESTAR	CORRER	IR
(yo)	....	correré	....
(tú, vos)	estarás	....	....
(él, ella, usted)	....	....	irá
(nosotros, nosotras)	estaremos	correremos	....
(vosotros, vosotras)	....	correréis	iréis
(ellos, ellas, ustedes)	estarán	....	irán

Gramática

C. En las promesas hay dos verbos irregulares. ¿Sabes cuáles son? Identifica en estas frases los verbos irregulares del futuro.

Te prometo que no diré una mentira nunca más.

Si me subes la paga, pondré todos los días la mesa.

Déjame ir al cine y te doy mi palabra de que volveré pronto.

De verdad, tendré cuidado si me dejas ir en moto.

Te juro que haré los deberes todos los días.

Si no me ayudas, no podré hacer los ejercicios yo solo.

Si me dejas salir hasta las once, te aseguro que solo saldré con mis amigos los sábados.

Actúo

5 DA INSTRUCCIONES

Elige una de estas situaciones o lugares y expresa diez cosas que no debes hacer utilizando el imperativo negativo. Luego, imagina que haces promesas si estás en alguno de ellos.

CÓDIGO <P>

Tus propósitos

• Todos tenemos siempre intenciones de mejorar. Indica tus diez propósitos.

Lección 8 Pide y da consejos

Un programa sobre el futuro

Pista 16

Blas

Blas: Buenos días, y bienvenidos a «El futuro en una profesión», nuestra emisión de los fines de semana por la mañana en Radio Cero. Nuestras invitadas de este fin de semana son: Lola Castro, directora del museo de Ciencias Naturales de Lanzarote, y María, una estudiante de 3.° de la ESO que va a tener la suerte esta noche de expresar sus deseos y recibir consejos. María, tienes la palabra.

María: Buenos días, esta es mi pregunta: Estoy casi totalmente decidida a convertirme en directora de películas de animales... vamos, me gustaría rodar documentales. Sé que en todo el mundo hay solo dos mujeres que hacen este trabajo y me gustaría ser una más de ellas. ¿Tú qué harías en mi lugar?

Lola: ¿Por qué quieres seguir este camino?

María: Tengo unas ganas locas de sentirme libre y de vivir en medio de la naturaleza, ya sea en África o en Asia, me da igual. En las grandes ciudades me siento enjaulada como un león.

Lola: Pero, tú, ¿qué estás dispuesta a hacer?

María

María: ¿Sabía usted que en el momento actual miles de especies animales, grandes o pequeñas, están en peligro? Sobre todo lo que no quiero es que la lista de especies en vías de extinción se siga alargando. Ya he decidido que quiero rodar documentales de estas especies porque quiero ayudar a los animales como la ballena, el elefante... Estoy dispuesta a viajar, a estudiar, a remover cielo y tierra para lograrlo. ¿Qué me aconseja sobre los pasos que tengo que dar?

Lola: Yo que tú me matricularía primero en una carrera como Arte o en Sonido e Imagen y, después, completaría mi formación con un máster. Deberías apuntarte también a una de las numerosas asociaciones y fundaciones que trabajan para la protección de los animales salvajes.

Lola

Comprendo

1 **LEE EL TEXTO Y HAZ LAS ACTIVIDADES**

A. Contesta a las preguntas.

1. ¿Cuál es el tema tratado?   2. ¿Qué consejos da Lola?

B. Relaciona.

1. Estoy casi totalmente decidida a
2. Me gustaría
3. Tengo unas ganas locas de
4. Lo que no quiero es que
5. Ya he decidido que quiero
6. Quiero

a. ayudar a los animales como la ballena, el elefante...
b. convertirme en directora de películas de animales.
c. la lista de especies en vías de extinción se siga alargando.
d. rodar documentales de estas especies.
e. sentirme libre.
f. ser una más de ellas.

C. Responde a las preguntas.

1. María afirma que está plenamente convencida de llegar a ser:
   a. ☐ cazadora de animales peligrosos   b. ☐ veterinaria   c. ☐ directora de documentales
2. Tiene la intención de seguir este camino porque
3. Está dispuesta a
4. Participa en el programa porque le gustaría
5. Para conseguir su objetivo será necesario que ella
6. ¿Tiene un destino preferido?

Practico y amplío

2 CONOCE EL CONDICIONAL

A. Observa cómo se forma el condicional
y completa con las formas que faltan.

Gramática

	ESTAR	CORRER	IR
(yo)	....	correría	....
(tú, vos)	estarías	....	....
(él, ella, usted)	....	....	iría
(nosotros, nosotras)	estaríamos	correríamos	....
(vosotros, vosotras)	....	correríais	iríais
(ellos, ellas, ustedes)	estarían	....	irían

Los irregulares son los mismos irregulares que en el futuro.
Se emplea para pedir algo de una manera cortés, hablar de situaciones imaginarias, expresar deseos difíciles de realizar, dar consejos o recomendaciones y hacer propuestas o sugerir soluciones.

B. Completa los consejos con los verbos en la forma adecuada del condicional.
Ojo, hay verbos irregulares.

1. ¿Te molesta estar castigado y no poder salir porque has hecho algo mal? Yo que tú les (pedir) .... perdón a tus padres y les (decir) .... que nunca lo vas a volver a hacer.
2. Si te pone triste que no te dejen sacarte el carné de conducir, yo que tú (usar) .... la bici para ir al instituto.
3. Si estáis aburridos y no sabéis qué hacer, yo que vosotros (leer) .... un buen libro o me (poner) .... a hacer alguna manualidad.
4. Yo no (poder) .... hacer eso que tú haces. Creo que (ser) .... mejor pedir ayuda a otra persona, yo no (saber) .... qué decirte.
5. • ¿(Tener, tú) .... un momento, por favor? Necesito tu ayuda. ¿Cómo (hacer) .... tú este ejercicio?
   • Yo que tú le (preguntar) .... al *profe* y lo (escribir) .... a lápiz antes de corregirlo.

3 PONTE EN EL LUGAR DE OTRA PERSONA Y DA CONSEJOS

A. ¿Qué harías tú en estas situaciones?

1. Está prohibido navegar en la red.
2. Está llegando una tormenta.
3. Recibes una invitación anónima a una fiesta.
4. Un cachorro de perro está ladrando fuera de tu puerta.

B. Da un consejo a esta chica usando la expresión Yo que tú.

Yo que tú no lo haría.

1. Quiero ser actriz y viajar por todo al mundo.
2. Quiero salir con un chico de otra clase.
3. Mi mejor amigo sale con una chica y no quiere quedar conmigo.
4. Últimamente estoy cansada, no me gusta estudiar y duermo muy poco.

C. Relaciona cada frase con el uso del condicional.

1. ¿Podrías prestarme tu bicicleta?
2. Me gustaría ir un fin de semana a la montaña.
3. Yo que tú me pondría esa camiseta tan bonita.
4. Yo no diría que esos chicos se conocen.
5. Deberías estudiar mucho más.
6. Mi padre se querría comprar un coche nuevo.
7. Pensaría que has copiado en el examen.
8. ¿Te importaría cerrar esa puerta?

a. Dar consejos y recomendar.
b. Pedir favores de manera menos directa.
c. Expresar opiniones.
d. Expresar deseos.

4 REACCIONA Y DI TUS EMOCIONES

Me gusta Me pone nervioso	+ infinitivo	(si la persona que se expresa es la misma de la oración dependiente)	Me pone nervioso hacer un examen.
Me pone triste (No) soporto Me duele	+ que + subjuntivo	(si los sujetos no coinciden)	Me pone nervioso que el profesor me ponga un examen sorpresa.

A. Completa las frases conjugando el verbo en infinitivo o en subjuntivo.

1. Me tengo que ir ya, porque hoy duermo en casa de mi abuela y a ella le preocupa que (llegar) .... tarde.
2. Me preocupa no (saber) .... la lección, así que me voy a estudiar.
3. A Luis le duele mucho que te (enfadar) .... con él de esa manera.
4. Me pone nervioso que Carlos no (terminar) .... de cantar esa canción tan triste.
5. A ti, ¿no te pone nervioso (estar) .... sin hacer nada?
6. A mis tíos no les gusta que sus hijos, mis primos, (correr) .... en bicicleta.
7. Me da mucha pena que Marta ya no te (querer) ....
8. No nos gusta que la gente nos (decir) .... lo que podemos hacer.

B. Observa las siguientes campañas de protesta. ¿Qué quiere cada grupo? Formula frases utilizando las expresiones anteriores.

5 EXPRESA VOLUNTAD Y DESEOS PERSONALES

A mí me gustaría... Quiero... Estoy dispuesto/a a... Tengo unas ganas locas de... Me encantaría...	+ infinitivo	¡Ojo! El sujeto de la principal y el de la subordinada coinciden.

A. Aquí tienes una lista de profesiones. En parejas escribid lo que os gustaría ser y lo que estáis dis-puestos a hacer. Usad las expresiones del cuadro anterior.

- azafata
- traductor/-a
- director/-a de cine
- cantante
- bailarín/-a
- dibujante de cómics
- actor/actriz
- médico/a
- arquitecto/a

Quiero ser actor. Para realizar mi sueño, estoy dispuesto a estudiar mucho y a viajar a Roma, Londres y Los Ángeles.

B. Imagina una entrevista, como la del programa de radio, sobre las mejores profesiones del futuro. Piensa las preguntas y las respuestas.

Actúo

6 VAS A HABLAR DE CONSEJOS Y PROHIBICIONES

A. Comparte con tus compañeros los consejos y las prohibiciones que les darías a estas personas.

1. A una chica que va a realizar un largo viaje con un grupo de estudiantes de español, en avión.
2. A una persona que va a estudiar al extranjero.
3. A un chico que viene a tu país para estudiar tu idioma en verano.
4. A una persona que quiere ser profesor.
5. A un nuevo estudiante de tu instituto.
6. A un chico que quiere salir el sábado por la noche y no sabe cómo decírselo a su padre.
7. A una chica que ha sacado una mala nota y no sabe cómo confesárselo a sus padres.

B. Eres una persona poderosa que puede cambiar el mundo. Indica seis cosas que harías para mejorarlo.

 CÓDIGO <M>

Un mundo ideal
• Redacta un texto con las mejores propuestas de la clase.

Participa en la comunidad de Código ELE

Describe vuestra propuesta de entorno ideal y publícalo en el blog. Lee la de otros estudiantes, ¿cuál te gusta más?

Extensión digital

www.edelsa
Zona estudiante

Tu biblioteca de español

Violeta Parra

→ **Lee el poema e intenta colocar los versos en su lugar correspondiente.**

*

Ojos

Lluvia fuerte

Motores.

Gracias a la vida

Gracias a la vida
1. ....
Me dio dos luceros*
2. ....
perfecto distingo
3. ....
y en las multitudes,
4. ....
y en el alto cielo,
5. ....

a. su fondo estrellado,
b. el hombre que yo amo.
c. lo negro del blanco
d. que me ha dado tanto.
e. que, cuando los abro,

Gracias a la vida,
que me ha dado tanto.
Me ha dado la marcha
15. ....
Con ellos anduve
16. ....
playas y desiertos,
17. ....
y la casa tuya,
18. ....

ñ. tu calle y tu patio.
o. de mis pies cansados.
p. ciudades y charcos,
q. montañas y llanos,

Gracias a la vida,
6. ....
Me ha dado el oído,
7. ....
graba, noche y día,
8. ....
martillos, turbinas*,
9. ....
y la voz tan tierna,
10. ....

f. de mi bien amado.
g. que, en todo su ancho,
h. que me ha dado tanto.
i. ladridos, chubascos*
j. grillos y canarios,

Gracias a la vida,
que me ha dado tanto.
Me dio el corazón
19. ....
cuando miro el fruto
20. ....
cuando miro el bueno
21. ....
cuando miro el fondo
22. ....

r. del cerebro humano,
s. tan lejos del malo,
t. de tus ojos claros.
u. que agita su marco

Gracias a la vida,
que me ha dado tanto.
Me ha dado el sonido
11. ....
Con él, las palabras
12. ....
madre, amigo,
13. ....
la ruta del alma
14. ....

k. del que estoy amando.
l. que pienso y declaro:
m. y el abecedario.
n. hermano y luz alumbrando

Gracias a la vida,
que me ha dado tanto.
Me ha dado la risa y
23. ....
Así yo distingo
24. ....
los dos materiales
25. ....
y el canto de ustedes,
26. ....
y el canto de todos,
27. ....

v. que forman mi canto
w. dicha de quebranto,
x. me ha dado el llanto.
y. que es mi propio canto.
z. que es el mismo canto,

Este poema ha sido cantado en varias versiones. Si tienes acceso a Internet, ve a www.youtube.com/watch?v=cTZSmuiHPs y escucha la canción, ¿te gust

Biografía

Cantautora y folclorista chilena. Desde pequeña sintió afición por la música y el folclore chilenos; su padre, profesor de escuela primaria, fue un conocido folclorista de la región. Comenzó a actuar con su hermana Hilda en el *Dúo Hermanas Parra*. En 1942 ganó el primer premio de canto español, y a partir de entonces fue contratada con frecuencia hasta que partió a Valparaíso, donde encontró su verdadera vocación. El constante viajar por todo el país le puso en contacto con la realidad social chilena marcada por desigualdades económicas. En 1956 grabó el primer álbum de la colección «El folclore de Chile».

COMPRENDO

1. **¿De qué habla el poema? Resume las ideas más importantes.**
2. **Analiza las estrofas.**

Estrofa 1: La poeta agradece los ojos porque con ellos puede ....
Estrofa 2: Busca estas palabras en tu diccionario. ¿Pertenecen estos sonidos a la ciudad o al campo?

Grillos	....	Canarios	....
Martillos	....	Turbinas	....
Ladridos	....	Chubascos	....

Estrofa 3: ¿Por qué son los sonidos y el abecedario importantes? ¿Qué consiguen formar?
....
Estrofa 4: ¿Qué podemos hacer con el uso de los pies?
....
Estrofa 5: Explica con la ayuda de tu profesora el significado de «el corazón que agita su marco».
....
Última estrofa: Según la estrofa, ¿qué elementos componen el canto de Violeta Parra?

APRENDO

1. **Según la canción, ¿qué acciones se pueden hacer con los «luceros» de la estrofa 1?**
....
2. **Según la canción, ¿qué tipo de sonidos podemos escuchar con el uso del oído?**
....
3. **Pensando en el abecedario, ¿cuáles son algunos ejemplos de palabras que incluye la poeta?**
....
4. **¿Por qué lugares ha podido caminar Violeta Parra con la ayuda de sus pies?**
....
5. **¿Por qué es importante el corazón de una persona? ¿Qué ayuda a distinguir?**
....
6. **¿Por qué es necesario tener risa y llanto?**
....

ESCRIBO

1. **Identifica los seis motivos por los que la autora da gracias a la vida. Márcalos en el texto cada uno con un color diferente.**
2. **Siguiendo el esquema del poema de Violeta Parra, añade dos estrofas a su canción.**

Gracias a la vida que me ha dado .... que ....
....
....
Gracias a la vida que me ha dado .... que ....
....
....

¿Por qué Perú?
Algunos consejos para vivir y viajar

Las mejores cosas que hacer

En Perú abundan numerosas ciudades coloniales y antiguos asentamientos incas que conviven mano a mano con fascinantes sitios arqueológicos.

Cuzco
Se encuentra en el sur y es muy famoso por sus numerosos sitios arqueológicos de gran importancia. Es el centro arqueológico más importante en el continente americano.

Lima
La capital es una gran metrópolis situada en medio de la costa del país. Su centro histórico es hogar de una arquitectura colonial verdaderamente impresionante.

Machu Picchu
Situado al noroeste de Cuzco, es posiblemente el lugar de interés turístico más impresionante en todo Perú. También se le conoce como la «ciudad perdida de los incas».

Ciclismo en los Andes
Es una actividad popular en las montañas de Perú, y en la región del centro de los Andes se encuentran algunos senderos increíbles.

Flotar sobre el lago Titicaca
Tomar un crucero sobre el lago para visitar las islas flotantes de Uros es casi mágico. El lago Titicaca es el lago navegable a mayor altitud en el mundo y se encuentra entre la ciudad de Puno y la frontera con Bolivia del sur de Perú.

Sobrevolar las Líneas de Nazca
Las Líneas de Nazca son figuras y líneas enormes creadas sobre las arenas del desierto que solo pueden ser vistas desde las alturas. Estas figuras fueron realizadas entre los años 300 y 700 A.C.

Hacer surf en las dunas de arena
Muchos turistas vienen al país expresamente para hacer surf en las pendientes creadas por las dunas en tablas. Las dunas más grandes se encuentran cerca de las Líneas de Nazca.

1. Responde verdadero o falso y corrige las falsas.

	V	F

1. Según el blog viajar a Perú merece la pena.
2. En Perú puedes hacer muy poca actividad física.
3. La capital de Perú es Cuzco.

2. ¿Qué puedes hacer en Perú? Escribe qué no te puedes perder.

3. En tu cuaderno, copia un mapa de Perú y con rotuladores de colores diferentes escribe los lugares de los que se habla en el texto.

4. En parejas, preparad vuestro blog de consejos y recomendaciones para quien visite vuestro país.

5. ¿Sabes que la cocina peruana es Patrimonio de la Humanidad? Relaciona los términos con su imagen. Mira cómo cambian algunos términos entre Latinoamérica y España.

Variantes del español

Relaciona estas variantes con su significado.

1. Aguacate = palta
2. Albaricoque = damasco, chabacano
3. Alcachofa = alcaucil
4. Calabacín = zapallito
5. Calabaza = zapallo, cayuco
6. Carne de vaca = carne de res
7. Cerdo = puerco, chancho
8. Embutidos = carnes frías
9. Fresa = frutilla
10. Gamba = camarón
11. Guisante = chicharro, arveja
12. Judías verdes = chauchas
13. Judías, alubias = poroto, frijoles, ejote
14. Maíz = abatí, canguil, capia
15. Manzana = pero
16. Melocotón = durazno
17. Patata = papa
18. Piña = ananá
19. Plátano = banana, banano
20. Sandía = patilla
21. Zumo = jugo

a. ◯
b. ◯
c. ◯
d. ◯
e. ◯
f. ◯
g. ◯
h. ◯
i. ◯
j. ◯
k. ◯
l. ◯
m. ◯
n. ◯
ñ. ◯
o. ◯
p. ◯
q. ◯
r. ◯
s. ◯
t. ◯

AHORA YA SÉ

Órdenes, prohibiciones y consejos

1. Escribe unas advertencias para estos productos, incluyendo órdenes, prohibiciones y consejos de uso

1. ....
2. ....
3. ....

1. ....
2. ....
3. ....

Expresar la opinión

2. ¿Cómo te ves a ti mismo/a dentro de 20 años? Cuenta en unas 150 palabras tus planes, utiliza expresiones de intención y voluntad y los tiempos verbales de futuro simple y condicional.

....
....
....
....
....
....

El condicional

3. Completa la tabla de los condicionales irregulares.

	(yo)	(tú, vos)	(él, ella, usted)	(nosotros, nosotras)	(vosotros, vosotras)	(ellos, ellas, ustedes)
poder						
querer						
salir						
tener						
decir						
poner						
venir						
saber						
hacer						

Imperativo

4. Cambia el verbo entre paréntesis en una orden o prohibición según la situación.

1. La naranjada está demasiado fría. (Beber) ⬜⬜⬜⬜⬜⬜⬜⬜⬜⬜
2. La cocina está hecha un desastre. (Ordenar) ⬜⬜⬜⬜⬜⬜⬜⬜⬜⬜⬜
3. Se ha acabado el zumo de manzana. (Ir a comprar) ⬜⬜⬜⬜⬜⬜⬜⬜⬜⬜
4. Estás haciendo demasiado ruido. (Dejarlo) ⬜⬜⬜⬜⬜⬜⬜⬜⬜⬜
5. La circulación está prohibida. (Pasar) ⬜⬜⬜⬜⬜⬜⬜⬜⬜⬜
6. Hay que escuchar la conferencia. (Dormirse) ⬜⬜⬜⬜⬜⬜⬜⬜⬜

El futuro simple

5. Lee el texto y escribe la forma correcta del futuro de los verbos entre paréntesis.

¿Quién (ser) ⬜⬜⬜⬜⬜⬜⬜? ¿De dónde (venir) ⬜⬜⬜⬜⬜⬜⬜ ese chico de negro que mira ese escaparate de la zapatería? ¿Adónde (ir) ⬜⬜⬜⬜⬜⬜⬜ con ese bolso en bandolera? Parece triste. No sabemos nada de él. El chico se (llamar) ⬜⬜⬜⬜⬜⬜⬜ Pepe o Juan. (Ser) ⬜⬜⬜⬜⬜⬜⬜ estudiante de 3.º o 4.º ESO. En el bolso (llevar) ⬜⬜⬜⬜⬜⬜⬜ cuadernos, libros, un bono de metro y un móvil. De repente abre su bolso y contesta a una llamada: ¿Con quién (hablar) ⬜⬜⬜⬜⬜⬜⬜? Sus ojos hablando me miran: ¿qué (pensar) ⬜⬜⬜⬜⬜⬜⬜ de mí?

Usos del subjuntivo

6. Completa las siguientes frases con los verbos en indicativo o subjuntivo.

1. Es indispensable que ella (saber) ⬜⬜⬜⬜⬜⬜⬜ lo que ha ocurrido.
2. Es mejor que (enviar, ella) ⬜⬜⬜⬜⬜⬜⬜ a otra persona.
3. Me encanta que tú (venir) ⬜⬜⬜⬜⬜⬜⬜ a vernos.
4. Nos parece que Pepa no (saber) ⬜⬜⬜⬜⬜⬜⬜ la verdad.
5. No soporto que María (llamar) ⬜⬜⬜⬜⬜⬜⬜ a todas horas.
6. No me parece que ellos (estar) ⬜⬜⬜⬜⬜⬜⬜ contentos.
7. Es evidente que Lola y Pepa no (tener) ⬜⬜⬜⬜⬜⬜⬜ problemas de amor.

Léxico

Adjetivos de personalidad

7. Observa las fotos y escribe una o más profesiones que pueden practicarse en cada lugar.

1. ⬜⬜⬜⬜⬜ 2. ⬜⬜⬜⬜⬜ 3. ⬜⬜⬜⬜⬜ 4. ⬜⬜⬜⬜⬜ 5. ⬜⬜⬜⬜⬜

8. Escribe debajo de cada señal lo que se puede o no se puede hacer.

1. ⬜⬜⬜⬜⬜ 2. ⬜⬜⬜⬜⬜ 3. ⬜⬜⬜⬜⬜

Preparo
mi examen

LEO Completa este texto con las palabras de la lista.

> sencillas - arreglar - laboral - largo - ocupada - oportunidades - pasear - quitar - temporada

Si los adolescentes quieren trabajar después de la escuela, a partir de los 16 años, los fines de semana o durante las vacaciones de verano, pueden encontrar abundantes _____ de trabajo temporal:
- Las tiendas buscan empleados jóvenes.
- Lugares de comida rápida y restaurantes. Aunque el trabajo puede no ser lo que el adolescente está buscando a _____ plazo, puede ser un gran lugar para adquirir experiencia _____
- Hoteles, centros turísticos y lugares de interés turístico con frecuencia emplean a adolescentes para el trabajo a tiempo parcial durante su _____ alta.
- También hay muchas oportunidades _____ en tu vecindario:
- Cuidar niños.
- Atender a mascotas (sacar a _____ perros, alimentar a los animales cuando sus dueños están lejos...).
- _____ el jardín (en primavera y verano, se puede cortar el césped, cortar las flores, en otoño se pueden recoger las hojas secas y limpiar el patio, y en invierno se puede _____ la nieve).
- Limpiar casas, hacer recados para gente _____, incluyendo compras y recoger su ropa en la lavandería.

Pista 17

ESCUCHO Escucha el diálogo entre Teresa y Ricardo. ¿Qué profesiones mencionan? ¿Qué quieren ser ellos cuando sean grandes?

ESCRIBO Responde a las preguntas.

1. ¿Qué profesiones te gustan? ¿Qué te gustaría hacer de mayor?
2. ¿Qué es más importante para ti? ¿Hacer algo que te guste o trabajar a cambio de un buen sueldo? ¿Por qué?
3. ¿Te gustaría hacer uno de los trabajos de tus padres?
4. ¿Crees que aprender lenguas puede ser importante para tu trabajo en un futuro? ¿Qué otras cosas puedes necesitar para encontrar un buen trabajo?

HABLO Por turnos. Elige una persona y descríbele a tu compañero qué habilidades necesitan para su trabajo (por ejemplo: estudiar lenguas, saber muchas matemáticas, etc.). Tu compañero tendrá que adivinar quién es y cuál es su profesión.

Dependiente

Veterinaria

Pilóto

Médico

Arquitecta

arte
y aparte

Sorolla

Observa

Describe el cuadro. Para ello, responde a estas preguntas:

¿Cómo son los personajes? ¿Qué actitud tienen?

¿Qué están haciendo?

¿Cómo definirías la escena: ordenada, desordenada, equilibrada…?

¿Qué hay alrededor de los personajes? ¿Dónde están?

Comenta

Analiza estos aspectos.

¿La escena se desarrolla en el interior o en el exterior? ¿De dónde procede la luz?

Imagina un título, ¿qué título le pondrías?

¿Cuál es el tono del cuadro: alegre, divertido, triste, romántico…?

Da tu interpretación

El título del cuadro es *¡Y aún dicen que el pescado es caro!* ¿Qué crees que quiere expresar?

Imagina qué ha pasado antes.

¿Te gusta? ¿Por qué?

UNIDAD 5

Decide tu estilo de vida

En esta unidad aprendes a...

- Programar y proponer actividades de tiempo libre.
- Añadir informaciones sobre personas, lugares o cosas.
- Organizar una fiesta.
- Valorar, aprobar o desaprobar las actividades de otras personas o las propias.
- Poner condiciones.
- Anunciar acciones futuras.
- Analizar tu estilo de vida.

Relaciona las frases con las imágenes. ¿A qué actividad de tiempo libre hace referencia cada una? Escríbela debajo de la foto.

1. DAR UNA VUELTA

2. HACER COLA

b ☐

c ☐

a ☐

3. IR A LAS REBAJAS

4. ECHAR UNA PARTIDA

d ☐

5. ENTRENAR

6. ESTAR DE MARCHA

e ☐

f ☐

7. PASAR PÁGINAS

g ☐

8. PERDER O GANAR UN PARTIDO

9. SER UN MANITAS

h ☐

i ☐

Lección 9

Haz planes para el futuro

Una conversación por teléfono

Pista 18

Andrés: El sábado es mi fiesta de cumpleaños. Será muy divertido. Vendrá casi toda la clase y me apetece mucho que vengas.

Lucía: ....
Como mis tíos se van de viaje, mis primas se quedan a dormir en casa.

Andrés: ....

Lucía: Se lo comento y, si les apetece, claro que vamos.

Andrés: Será una fiesta fantástica. Mis padres han alquilado un local y habrá mucha música, tendremos un grupo en directo y los compañeros que vengan traerán sus discos favoritos; pero antes quiero que hagamos algunos juegos.

Lucía: ....

Andrés: Es el grupo del hermano de José, Los Astros. Creo que los conoces a todos, están en segundo de ESO y han tocado a veces en las fiestas de la escuela. Hacen versiones de Los Planetas, je, je, por eso se han puesto ese nombre... Ah, y será en el club que está junto al cine Emperador, no me acuerdo cómo se llama.

Lucía: Claro que los conozco. Soy muy amiga de Carlos, el chico que toca la batería. Oye, yo voy. Cuenta conmigo. Ahora tengo que ponerme a estudiar, mi madre está enfadada conmigo porque dice que me he pasado la tarde jugando con la videoconsola.

Andrés: ....

Lucía: No, gracias. Me apetece que vengas, pero no me apetece hacer deberes.

Comprendo

1 HAZ LAS ACTIVIDADES DE COMPRENSIÓN

A. Lee los mensajes que Lucía y Andrés se intercambian en facebook y completa las partes que faltan con las frases propuestas. Luego, escucha y comprueba.

1. Bueno, pero eso no es un problema. Pueden venir ellas también.
2. ¡Genial! ¿Qué grupo? ¿Dónde será? Cuéntamelo todo.
3. Buff, ¡qué pesados son los padres! ¿Te apetece que me acerque a tu casa y te ayude con los deberes? Así estarás más contenta.
4. ¿El sábado? ¡Horror! Es que el sábado he quedado con mis primas.

B. **¿Cuál de las afirmaciones es la correcta?**

1. a. Andrés cambia la fecha de su fiesta para que pueda asistir Lucía.
b. Lucía cambia sus planes para poder asistir a la fiesta.

2. a. El chico que toca la batería en Los Astros es amigo de Lucía.
b. El grupo que va a tocar en la fiesta se llama Los Planetas.

3. a. La fiesta se celebrará en un local.
b. Lucía ha quedado con sus primas en el local que hay junto al cine.

4. a. Como no ha hecho sus deberes, la madre de Lucía está enfadada.
b. Lucía ha pasado mucho tiempo delante de su consola.

C. **Completa las frases según la conversación de Andrés y Lucía.**

1. Andrés quiere saber si Lucía
2. Lucía dice que no puede ir porque
3. Andrés le propone que
4. Lucía dice que tiene que
5. Andrés le propone , pero Lucía contesta que no.

Practico y amplío

2 PROGRAMA ACTIVIDADES DE TIEMPO LIBRE

A. **Escucha y anota las actividades de estos chicos.**
Después, ordénalas según tus gustos.

Pista 19

4. ....

3. ....

1. ....

5. ....

6. ....

7. ....

B. **Dile a tu compañero cuáles son tus favoritas y pregúntale por las suyas. ¿Coincidís en alguna?**

3 PROPÓN PLANES

Apetecer				
(yo)	A mí	me		
(tú, vos)	A ti/vos	te		+ infinitivo	La misma persona
(él, ella, usted)	A él/ella/usted	le		
(nosotros, nosotras)	A nosotros/as	nos	apetece	
(vosotros, vosotras)	A vosotros/as	os		+ que + subjuntivo	Personas diferentes
(ellos, ellas, ustedes)	A ellos/as/ustedes	les		

Gramática

¿**Te** (a ti) **apetece hacer** (tú) **algo?**
¿**Te** (a ti) **apetece que hagamos** (nosotros) **algo?**

Completa estas frases con uno de estos verbos en la forma correcta.

> venir - jugar - escuchar - salir - entrar - ver

¿Te apetece
que vayamos al
cine?

1. ¿Os apetece que _____ en esa tienda?
2. Me apetece mucho que _____ tú a mi fiesta.
3. ¿Os apetece que _____ juntos esa película en mi casa?
4. ¿Te apetece que _____ a otra cosa? Este juego me
   está cansando.
5. ¿Le apetece _____ la canción que he escrito?
6. ¿Te apetece que _____ a dar un paseo por el parque
   el fin de semana?

4 AÑADE INFORMACIÓN SOBRE COSAS O PERSONAS

Gramática

(General)	que	Me gusta el disco que estás escuchando.
(Solo para personas)	preposición + quien	No va a venir esa chica de quien hablas.
(Modo, manera de hacer algo)	como	Ayer te llamé como me dijiste.
(Lugar)	donde	Este es el club donde vamos a celebrar mi cumpleaños.

A. **Une las frases formando oraciones con sentido y subraya la opción adecuada.**

1. En el cine *donde/que* está al lado de mi casa
2. Hemos quedado con Luis
3. Me encanta la bicicleta
4. He perdido el videojuego
5. Las fiestas *que/quien* se celebran en mi pueblo
6. Ese museo *donde/que* estuviste
7. Esa es la escuela
8. Hay un chico
9. Ese profesor
10. Lo haré
11. Termínalo

a. a *que/quien* le gustaría conocerte.
b. *como/que* te he dicho.
c. *como/quien* tú querías, pero no me parece bien
d. *donde/que* estudiaron mis padres.
e. en el parque *donde/que* hay detrás del instituto
f. ponen una película de miedo.
g. por *que/quien* preguntas es muy severo.
h. *que/quien* me regalaron mis padres.
i. *como/que* venía de regalo con la consola.
j. son muy divertidas.
k. tiene mis cuadros preferidos.

B. **Completa las frases con que, quien, como o donde.**

1. Esto es solo para _____ lo necesite de verdad.
2. Este es el lugar _____ ocurrió todo.
3. Hoy estoy _____ siempre, regular.
4. Hay un libro _____ me gusta mucho en esa tienda, te lo voy a regalar.
5. Hazlo _____ tú sabes y no tendrás problemas.
6. El chico _____ conocí ayer te conoce.
7. El profesor a _____ tú no conoces es el de Ciencias.

Actúo

5 PRONTO SE ACERCA EL FINAL DEL CURSO. VAMOS A ORGANIZAR UNA FIESTA

A. Decide con tus compañeros qué vais a hacer.

1. Piensa en cinco cosas que a ti te gustaría hacer:

Me apetece que _____

Me apetece que _____

Me apetece que _____

Me apetece que _____

Me apetece que _____

2. Haz una lista común y decidid finalmente qué hacéis.

> María jugaría a algún juego de mesa./A María le gustaría jugar a algún juego de mesa.

B. Elige la música que quieres.

1. Observa estos grupos de música y elige cuál prefieres. Explica tus motivos.

a. b. c.

2. Ahora piensa en el local ideal para tu fiesta. ¿Cómo quieres que sea?

> Quiero que el local
> ....

¿Conoces alguno similar? Piensa en un espacio real y explica a tus compañeros cuál es:

> Quiero hacer mi fiesta en el club que está junto al instituto.

Prepara una lista de invitados.

Ha llegado el momento de preparar tu invitación: justifica en ella por qué organizas esta fiesta, qué habrá, dónde y cuándo será y termina animando a tus amigos a asistir.

CÓDIGO <I>

Tu invitación

• Diseña tu invitación para la fiesta.

TE INVITO A MI FIESTA

Lección 10

Habla de hábitos de comportamiento

Los hábitos de los jóvenes

Mente sana, cuerpo sano

El estilo de vida se define como el conjunto de los hábitos de comportamiento cotidianos de una persona. La alimentación, las horas de sueño o descanso, la actividad física, el ocio, la higiene, nuestras relaciones familiares y amistades o el consumo de sustancias nocivas para la salud, como el tabaco o el alcohol, caracterizan la forma de vida de cada individuo.

Hábitos alimenticios

Entre los más jóvenes, han adquirido popularidad recientemente las hamburgueserías y establecimientos de comida rápida. Este tipo de alimentación plantea grandes problemas y pone en riesgo la salud de los adolescentes. Frente a este tipo de comidas, es importante que aprendamos las bases de una dieta sana.

Actividad deportiva

El ejercicio físico constituye una actividad beneficiosa para la salud, ofreciendo también una excelente oportunidad para las relaciones sociales. Si practicamos deporte regularmente, nuestro cuerpo nos lo agradecerá. Los adolescentes suelen practicar deporte aunque con el paso del tiempo tienden a abandonarlo. Es bueno seguir con su práctica en la juventud y en la madurez.

El tiempo libre

Los chicos reparten su tiempo de ocio entre los amigos, escuchar música, leer, navegar por Internet o frecuentar las redes sociales, jugar a los videojuegos y ver la televisión. Si sabemos dosificar el tiempo, no tendremos que renunciar a nada, pero si abusamos de la televisión, Internet o los videojuegos, podrán surgir problemas.

Tabaquismo/Alcohol

Para llevar una vida saludable, tenemos que evitar estos hábitos. A menudo caemos en ellos mal aconsejados por «amigos» a los que no queremos decir que no. Tenemos que aprender a decidir por nosotros. Ante una situación de este tipo sé claro: «No, gracias. No me parece bien que fumes o que bebas, no es bueno para la salud. Yo que tú lo dejaría».

Comprendo

1 LEE EL TEXTO Y HAZ LAS ACTIVIDADES

A. Responde a las preguntas.

1. ¿Qué condiciones se tienen que cumplir para que crezcamos sanos y evitemos problemas en el futuro?
2. ¿Por qué es importante que conozcamos las bases de una alimentación sana?
3. Los chicos de hoy en día, ¿suelen practicar algún deporte?
4. ¿Te parece bien o te parece mal que la gente te aconseje beber o fumar?

B. Relaciona.

1. Higiene   2. Hábito   3. Trastorno   4. Actividad   5. Dieta   6. Ocio   7. Nocivo   8. Adicción

a. Alimentación   b. Problema   c. Ejercicio   d. Dañino

e. Sumisión   f. Costumbre   g. Aseo   h. Tiempo libre

C. Ahora elige una palabra de la primera fila de la actividad anterior para cada frase.

1. Afortunadamente no tengo ninguna ▇▇▇▇▇▇▇▇▇▇▇▇▇▇▇▇▇▇ .
2. Para estar sano es importante seguir una ▇▇▇▇▇▇▇▇▇▇▇▇▇▇▇▇ equilibrada.
3. La ▇▇▇▇▇▇▇▇▇▇▇▇▇▇ física es muy importante para la salud.
4. La ▇▇▇▇▇▇▇▇▇▇▇▇ no solo elimina malos olores, también protege la piel.
5. El tabaco es ▇▇▇▇▇▇▇▇▇▇▇▇▇▇ para el cuerpo humano.
6. El alcohol no es un ▇▇▇▇▇▇▇▇▇▇▇▇ saludable.
7. Los momentos de ▇▇▇▇▇▇▇▇▇▇▇▇ son importantes para los jóvenes.
8. No te preocupes, es solo un ▇▇▇▇▇▇▇▇▇▇▇▇ temporal. Nada grave.

Practico y amplío

2 APRUEBA Y DESAPRUEBA

Me parece bien que duermas ocho horas.

No me parece bien que pases tantas horas jugando a la consola.

Me parece genial que hagas deporte.

Me parece fatal que dejes el fútbol.

Pista 20

A. Escucha a Luz y a Toni hablando de sus hábitos de conducta, di qué afirmaciones son verdaderas y corrige las falsas.

1. Luz es una persona muy activa.
2. Toni también es activo, hace deporte cotidianamente.
3. Toni lleva también una dieta saludable.
4. Luz, en cambio, se alimenta muy mal.
5. Toni descansa bien, duerme las horas adecuadas.
6. Luz es poco dormilona. No suele descansar.
7. Luz utiliza bien su tiempo libre.
8. Toni, en cambio, pasa demasiadas horas con el ordenador.

V   F

B. Ahora dirígete a ellos aprobando o desaprobando sus hábitos:

> Luz, me parece muy bien que...
> Toni, me parece mal que...

C. Con tu compañero escribe un diálogo similar aprobando o desaprobando vuestros hábitos cotidianos. Cuando lo tengáis preparado, representadlo.

 3 PON CONDICIONES

Si practicas deporte, mejorarás tu físico.

Si le pides perdón a Marcos, puedes ir a la fiesta.

A. Relaciona para formar frases con sentido.

1. Si cuidas tu higiene,
2. Si lees mucho,
3. Si fumas,
4. Si descansas bien,
5. Si comes muchas grasas,

a. estarás más atento en clase.
b. mejorarás tu vocabulario.
c. evitarás hongos e infecciones de piel.
d. tendrás problemas de corazón.
e. vivirás menos años.

B. ¿Cuáles son las condiciones para llevar
una vida sana? Escribe cuatro de ellas.

Llevarás una vida sana si...

 4 ANUNCIA ACCIONES FUTURAS

Cuando + subjuntivo sirve para
expresar el momento futuro
en el que haremos algo.

Cuando sepa tu dirección (en
ese momento futuro), te es-
cribiré.

 Gramática

Completa las frases con una forma adecuada de los verbos entre paréntesis.

1. Si comes alimentos grasientos, cuando (ser) _____ mayor, tendrás el colesterol alto.
2. Si te apetece, cuando (ir, nosotros) _____ al parque, te puedo dejar mi guitarra.
3. Si hacéis poco ejercicio, cuando (jugar) _____ el partido, no estaréis en forma.
4. Si haces mucho ejercicio, cuando (llegar) _____ a casa, podrás descansar.
5. Si dormís poco, cuando os (levantar) _____, estaréis cansados.
6. Si quieres, cuando (comprar) _____ el DVD, te lo presto.

 5 CONOCE LOS USOS DE **CUANDO**

Gramática

Hablar de actividades habituales	Cuando + **presente de indicativo**	Cuando llego a casa, pongo la tele.
Hablar de acciones pasadas	Cuando + **pretérito perfecto simple**	Ayer, cuando llegué a casa, puse la tele.
Hablar de acciones futuras	Cuando + **subjuntivo**	Hoy, cuando llegue a casa, pondré la tele.

Completa con el verbo en presente, perfecto simple o subjuntivo.

1. Cuando (venir) _____, tráeme el balón que te presté.
2. Cuando (ver, tú) _____ el anuncio, ¿qué pensaste?
3. Cuando (dormir) _____ poco, estoy de mal humor.
4. Cuando se (abrir) _____ la puerta, salió todo el mundo.
5. Cuando (querer) _____, voy a tu casa.
6. Cuando (aprender) _____ a comer bien, te sentirás mejor.
7. Cuando no (estudiar) _____ mucho, suspendo.
8. Cuando (hacer) _____ los ejercicios, te cansaste mucho.

Actúo

6 ANALIZA TU ESTILO DE VIDA

A. Responde a las preguntas de este test.

Alimentación
¿Cuántas veces a la semana comes carne?
¿Cuántas veces al día comes verdura y fruta?
¿Con qué frecuencia visitas establecimientos de comida rápida?

Ejercicio
¿Practicas algún deporte? ¿Cuál?
¿Cuánto tiempo lo practicas a la semana?
Cuando sales del instituto, ¿vas al parque o a jugar con tus amigos en la calle o vuelves a tu casa?

Tiempo libre
¿Cuántas horas pasas al día delante de la televisión?
¿Realizas algún tipo de actividad creativa (dibujo, teatro, baile, etc.)?

B. En función de las respuestas que has dado, escribe un texto explicando tus hábitos cotidianos. Valora qué está bien y qué está mal y comenta qué tendrías que cambiar para conseguir una mejor calidad de vida.

CÓDIGO <H>

Hábitos sanos y saludables
• En grupos, debatid vuestros hábitos y preparad un mural con una pirámide de vida saludable. La pirámide tendrá cuatro escalones. En la base colocaréis las actividades que según vosotros requieren más tiempo y en la cumbre, los hábitos que hay que limitar lo más posible.

Participa
en la comunidad de
Código ELE

Publica vuestra pirámide en el blog.

www.edelsa
Zona estudiante

Tu biblioteca de español

Cultura, fiestas y celebraciones

→ **Lee este artículo de prensa.**

The New York Times

En español

Especial España

España es uno de los países del mundo con más folclore y fiestas populares de variada temática. El periódico estadounidense *The New York Times* ha reconocido la popularidad de estas fiestas y ha elaborado una lista con las más importantes: En primer lugar, la **Semana Santa**. Se celebra en muchas ciudades de España con procesiones religiosas, en las que desfilan los penitentes con los tradicionales trajes de nazarenos, llevando a hombros pesados pasos con imágenes religiosas. Las más importantes tienen lugar en ciudades como Valladolid y Sevilla.

Como número dos, aparece en la lista los **Sanfermines**, conocidos mundialmente por el escritor Hemingway. Durante los días que van del 7 al 14 de julio, Pamplona recibe a más de un millón y medio de turistas que acuden, con ganas de fiesta y de emociones fuertes. Las calles de la capital navarra se llenan de corredores vestidos con traje blanco y pañuelo rojo dispuestos a correr cada mañana delante de un grupo de toros bravos.

La sorpresa en esta lista se encuentra en este tercer puesto, se trata de la **Tomatina de Buñol** en la Comunidad Valenciana, una batalla a golpe de tomates que se repite cada 30 de agosto. El origen de la fiesta parece estar en una batalla real, con tomates, entre jóvenes del pueblo durante un desfile de gigantes y cabezudos. El año siguiente, los mismos jóvenes decidieron llevarse los tomates de su casa y repetir la batalla. Tras algunos años en los que la policía obstaculizó la batalla, esta se convirtió en tradición y hoy son miles los turistas que llegan de todo el mundo para asistir a tan peculiar combate.

El cuarto puesto recae en las **Fallas de Valencia**. Las Fallas son esculturas burlescas construidas con madera y cartón-piedra que se colocan por las calles y plazas de la ciudad hasta la noche del 19 de marzo, día de San José, cuando son quemadas entre ruidos de petardos.

La **Feria de Abril de Sevilla** ocupa el quinto lugar. Originalmente era un feria de tratantes de caballos que, entre acuerdo y acuerdo, festejaban sus negocios. Hoy, nada queda de los antiguos tratos, pero ha pervivido la fiesta y los caballos, que siguen presentes en el recinto ferial. Y por supuesto el baile; al ritmo de las «sevillanas».

COMPRENDO

1. Responde a estas preguntas.
1. ¿Cómo desfilan los penitentes en las procesiones de Semana Santa?
2. ¿Por qué se llegó a conocer la fiesta de los Sanfermines en todo el mundo?
3. ¿Cómo se comportaba la policía durante los primeros años de la Tomatina?
4. ¿Qué se hace con las esculturas de las Fallas?
5. ¿Qué elementos siguen presentes en las Ferias de Abril de la actualidad?

2. Observa las palabras marcadas en amarillo y completa con ellas estas frases.
1. .... es salvaje, sin domesticar. Se refiere a una raza de toro que vive en libertad.
2. El .... es una prenda de vestir que se coloca en el cuello.
3. La .... es una guerra pequeña.
4. Un .... es un tubo relleno de pólvora que explota produciendo un ruido muy grande. Se usa en las fiestas de muchos municipios españoles.
5. Un .... es una persona que desfila en las procesiones de Semana Santa vestido con una túnica larga.
6. Una .... es un grupo de personas que caminan ordenadamente de forma solemne por la calle.

3. De las siguientes afirmaciones solo dos son verdaderas, corrige las falsas.
1. Las fiestas de España son muchas y muy variadas.
2. La Semana Santa es una fiesta que se celebra solo en Valladolid y en Sevilla.
3. En los Sanfermines hay una prueba de atletismo antes de la fiesta de los toros.
4. Como los participantes se llevaban los tomates a su casa, la policía prohibió la fiesta.
5. Las fallas son esculturas.
6. Se siguen vendiendo caballos en la Feria de Abril sevillana.

APRENDO

Busca en el texto los siguientes fragmentos e interpreta su significado.
Variada temática
Ha reconocido la popularidad
Recibe a más de un millón y medio de turistas
Son quemadas entre ruidos de petardos
Nada queda de los antiguos tratos
Al ritmo de las «sevillanas»

ESCRIBO

Seguro que en tu país hay fiestas similares a las españolas. Escribe un correo electrónico a un amigo español imaginario hablándole de las más importantes.

Fútbol, mucho más que una pasión

Iberoamérica vibra con sus deportistas. En pocas regiones del mundo, el deporte tiene tanta importancia como allí. Son muchas las disciplinas deportivas que han aportado grandes campeones a la historia del deporte mundial: tenis, baloncesto, atletismo, *hockey*, béisbol, boxeo, automovilismo, voleibol...

Pero si tenemos que mencionar un deporte que destaca sobre los demás, este es el fútbol. El Campeonato del Mundo de Fútbol se ha celebrado 6 veces en América Latina y países como Uruguay, Argentina y Brasil han sido campeones del torneo en varias ocasiones.

Los futbolistas latinoamericanos han conquistado todos los trofeos posibles y algunos de ellos son considerados los mejores jugadores de todos los tiempos. Veamos unos ejemplos:

Edson Arantes do Nascimento «Pelé»

Futbolista brasileño, ha sido nombrado muchas veces y por distintos organismos, el mejor futbolista de siempre. Para el Comité Olímpico Internacional (COI) es el mejor deportista del siglo xx. Con su selección, de la que es el máximo anotador, ganó tres campeonatos del mundo y con su equipo, el Santos, conquistó todos los títulos posibles. Marcó 760 goles oficiales y es el mayor goleador de todos los tiempos. Se convirtió en un mito deportivo y tras su retiro fue actor y cantante.

Diego Armando Maradona

Como Pelé, también el argentino Maradona es considerado por muchos el mejor futbolista de todos los tiempos. Quienes eligen a Pelé suelen argumentar que Maradona solo ha conseguido un campeonato mundial con su selección, sin embargo, tampoco se puede olvidar que las selecciones brasileñas que vencieron los mundiales eran poco menos que invencibles mientras que el campeonato ganado por Argentina en 1986 se debió fundamentalmente a la participación de Maradona. A nivel de clubs, los mejores resultados los obtuvo con el Nápoles italiano, equipo con el que ganó los dos únicos campeonatos del club. Sus éxitos deportivos contrastan con su adicción a las drogas, lo que dañó tanto su carrera deportiva como su salud.

Lionel Messi

Argentino, como Maradona, es considerado el mejor futbolista del mundo en la actualidad. Todavía jovencísimo (nació en 1987), ha conseguido ya los mayores premios deportivos a título individual, pero todavía tiene que ganar un campeonato mundial para poder discutir a Pelé o a Maradona el título de mejor futbolista de siempre. Por ahora ha ganado tres Ligas de Campeones con el Barcelona, además de otros torneos internacionales y un título olímpico con Argentina, su selección. Todavía puede mejorar un palmarés ya magnífico.

(Adaptado de Wikipedia)

1. Responde a las preguntas.
1. ¿Cuál es el argumento del texto?
2. ¿Qué hizo Pelé cuando dejó el fútbol?
3. ¿Qué diferencias hay entre Pelé y Maradona?
4. ¿Por qué Messi todavía no está a la altura de los anteriores?
5. ¿Conoces a otros deportistas latinoamericanos? ¿Cuáles?

2. Marca si las afirmaciones son verdaderas o falsas.

	V	F
1. Latinoamérica ha ganado seis veces el Campeonato del Mundo de Fútbol.	☐	☐
2. El COI considera que Pelé es el mejor futbolista del siglo xx.	☐	☐
3. Pelé es el futbolista que más goles oficiales ha marcado.	☐	☐
4. Maradona ganó dos mundiales.	☐	☐
5. Maradona tuvo problemas deportivos y de salud por su adicción a las drogas.	☐	☐
6. Con solo 25 años, Lionel Messi ya lo ha ganado todo.	☐	☐

3. Busca las palabras que responden a estos significados.
Vencedor de un torneo
Equipo nacional formado por los mejores jugadores de un país al que representan en un campeonato
Jugador que marca muchos goles
Conjunto de éxitos, méritos o victorias

4. Busca en el texto estos verbos y asócialos con sus sinónimos.

vibrar	tener lugar
aportar	citar
mencionar	oponerse
celebrar	contribuir
argumentar	entusiasmarse
contrastar	razonar

5. Haz una frase con cada una de las palabras de la primera columna manteniendo el mismo sentido que tienen las palabras en el texto.

6. Elige al deportista de tu país que más te gusta y escribe una pequeña ficha sobre él. Incluye alguna fotografía. Junto a tus compañeros, prepara un mural con los deportistas que habéis elegido, agrupándolos por deportes.

Variantes del español

Relaciona estas variantes con su significado.

1. Cancha (Argentina, Chile, México, Venezuela...)	a. Baloncesto
2. Competencia (Argentina, Chile, México, Venezuela...)	b. Campo, estadio
3. Arco (Argentina, Chile, México, Venezuela...)	c. Competición
4. Arquero (Argentina), golero (Uruguay), guardameta (México)	d. Equipo
5. Basquetbol (Chile, México), basket (Argentina)	e. Montar en bici
6. Voley (Argentina), volibol (México), voleyball (Venezuela)	f. Portería
7. Cuadro (Argentina, Uruguay)	g. Portero
8. Trekking (Argentina, Chile), caminata (México)	h. Senderismo
9. Andar en bici (Argentina, Chile, México, Venezuela...)	i. Voleibol, balonvolea

AHORA YA SÉ

Identificar cosas o personas

1. Forma frases con los elementos propuestos como en el ejemplo.

¿Quién es tu primo? (chico, jugar, fútbol)   Es el chico que juega al fútbol.

1. ¿Cuál es tu regalo? (consola, gustar, Pepe)
2. ¿A quién invitas a la fiesta? (compañero, estudiar, Juan)
3. ¿Cuál de ellas es tu amiga? (chica, llevar, cazadora vaquera)
4. ¿En qué gimnasio estás apuntado? (gimnasio, conocer, Marisa)
5. ¿Qué estás escuchando? (disco, regalar, cumpleaños)
6. ¿Te traigo algo? (libro, estar, mesa)

Proponer planes

2. Aquí tienes una serie de planes. Proponle a un amigo que te acompañe, utilizando la estructura

¿te apetece que...?

1. Ir al cine
2. Ver una película
3. Jugar con un videojuego
4. Chatear por Internet con un amigo español
5. Escuchar el nuevo disco de tu grupo favorito

Expresar condición

3. ¿Qué condiciones pondrías a tus amigos para que se cumplan tus afirmaciones?

1. Te regalaré el libro que te gusta
2. Iré a la playa contigo
3. Jugaré con tu equipo
4. Os presentaré a mi primo

Sitúa en un tiempo futuro

4. Completa.

1. Cuando tenga tiempo, (ir, yo) _____ a tu casa.
2. Cuando (hablar, vosotros) _____ con Julia, decidle que quiero que venga a mi fiesta.
3. Cuando te (apuntar) _____ al gimnasio, pregunta por un monitor que se llama Víctor.
4. Cuando vayas a su casa, (entender, tú) _____ por qué nunca estudia nada.
5. Cuando (jugar, nosotros) _____ al Trivial, ganaremos porque hemos estudiado.
6. Cuando comas, (elegir) _____ bien los alimentos más sanos.

Aprobar y desaprobar

5. Esto es lo que quieren hacer tus compañeros de clase. Aprueba o desaprueba sus decisiones.

1. Voy a pedirme una hamburguesa, unos *nuggets* de pollo, unas patatas fritas y un batido de chocolate.

2. Maruja está enferma, mañana voy a visitarla.

3. Yo nunca me ducho después de los partidos.

4. No tengo ganas de estudiar, al llegar a casa me pasaré la tarde con la consola.

5. A esas horas no puedo ver la tele, me gusta acostarme pronto para descansar bien.

Gramática

¿Indicativo o subjuntivo?

6. Completa las frases con los verbos en la forma adecuada.

1. Me apetece mucho que (salir, nosotros) _____ juntos la próxima semana.

2. Si te (portar, tú) _____ bien, te regalaré lo que me pides.

3. Cuando (tener) _____ tiempo, llama a Susana y pídele perdón.

4. Como la profesora no (llegar) _____, estamos pensando en irnos a casa.

5. Está muy bien que (decir) _____ eso; has cambiado mucho.

6. Los chicos que (salir) _____ de clase ahora no harán el examen.

7. Cuando (viajar) _____, siempre compro algún recuerdo.

8. ¿Os apetece que (comer, yo) _____ con vosotros mañana?

9. Tendrás problemas de salud, si no (llevar) _____ una vida saludable.

10. Como ya (ser) _____ un poco tarde, me tengo que acostar.

¿Condicional, futuro, imperfecto o presente?

7. Haz como en el ejercicio anterior.

1. Yo que tú, (ver) _____ esa peli, es muy buena.

2. Si no vienes a mi fiesta, (dejar, nosotros) _____ de ser amigos.

3. Señor director, ¿(poder, yo) _____ hablar con usted?

4. Como no (llegar) _____ nadie, entré al cine yo solo.

5. ¿Te (apetecer) _____ que vayamos al centro comercial?

6 No puedo ir, es que no (tener) _____ dinero.

7. Cuando me pidas perdón, te (hablar, yo) _____ de nuevo.

8. Si les (decir) _____ algo a los otros, no te contaré más secretos.

9. Como (ser) _____ tarde, me volví a casa.

10. Yo que él (tener) _____ mucho cuidado. Comer tanta grasa no es bueno.

Léxico

Costumbres

8. Utiliza estas palabras para completar las frases.

| higiene |
| ocio |
| quedar |
| hábito |
| pasatiempo |
| dieta |

1. El tiempo de _____ es el que dedicamos a hacer las cosas que nos gustan.

2. Mi _____ preferido es escuchar música.

3. Para estar en forma es suficiente hacer ejercicio y seguir una _____ saludable.

4. Suelo _____ con mis amigos en el centro comercial.

5. Fumar es un _____ dañino.

6. La _____ es tan importante como la alimentación o el ejercicio para crecer sanos.

Preparo
mi examen

Completa este texto con las palabras que faltan.

Educar a los adolescentes _____ la importancia de llevar un estilo _____ vida activo y saludable durante el crecimiento debería formar _____ del programa educativo general.

Para ello, hemos desarrollado un modelo educativo reflejado en una pirámide _____ tiene cuatro caras y una base. Cada cara está orientada _____ la consecución de un determinado objetivo relacionado _____ la salud: los hábitos alimentarios diarios (cara 1) y la pirámide alimentaria (cara 3), la actividad física diaria (cara 2) y la higiene y la salud (cara 4). En la base de la pirámide, los consejos nutricionales se combinan _____ consejos sobre la actividad física y deportiva.

Además, se incluyen indicaciones _____ la adquisición de hábitos relacionados _____ la higiene y la salud, la organización _____ un programa diario y la progresión _____ debería conseguirse _____ la práctica deportiva.

ESCUCHO Escucha cómo organiza su fiesta esta chica y marca las opciones adecuadas.

Pista 21

Música:	☐ Música en directo	☐ Música grabada por un DJ
Lugar:	☐ En un club	☐ En su casa
Adultos:	☐ Con sus padres	☐ Sin sus padres
Hora final:	☐ Hasta las 11	☐ Hasta las 9
Para comer:	☐ Bocadillos y *pizza*	☐ Patatas fritas
Para beber:	☐ Refrescos y un cóctel de frutas	☐ Zumos naturales de frutas

ESCRIBO Responde a las preguntas.

1. ¿Cómo son tus hábitos cotidianos? ¿Cuántas horas duermes al día?
2. ¿Bebes mucha agua? ¿Cuánta?
3. ¿Con qué frecuencia haces deporte?
4. ¿Qué comida tiene más importancia para ti, el desayuno, la comida de mediodía o la cena?
5. Describe brevemente tu alimentación.

HABLO Cuéntale a tu compañero la última fiesta que organizaste.

arte
y aparte

Cuadro inacabado

Antonio López

Observa

Describe el cuadro. Para ello, responde a estas preguntas:

¿Qué se ve en el cuadro?

¿Qué es lo que más se destaca?

¿Qué hace el pintor?

¿Dónde está? ¿Por qué lo sabes?

¿Cómo definirías la escena: espectacular, cotidiana, conmovedora, costumbrista? ¿Por qué?

Comenta

Analiza estos aspectos.

¿Desde dónde se enfoca la escena? ¿Desde dónde, supuestamente, observamos la escena?

¿Cuál es la actitud del pintor ante nuestra presencia?

¿Qué está pintando el pintor?

¿Qué colores rompen la gama de colores generales?

Da tu interpretación

¿Cómo definirías el estilo: realista, figurativista, fotográfico?

Al estilo de Antonio López se le denomina *hiperrealista*, ¿qué crees que quiere decir el término?

¿Te gusta? ¿Por qué?

UNIDAD 6

Prepárate para el futuro

En esta unidad aprendes a...

- Hablar de la informática.
- Expresar intención e indicar probabilidad.
- Formular consecuencias.
- Situar temporalmente acontecimientos antes, después y durante otras acciones.
- Referirse a personas, animales u objetos ya mencionados o implícitos.
- Redactar un texto sobre el futuro.
- Contar la biografía de un científico.

Observa las imágenes y crea una definición para cada palabra. ¿Conoces más palabras del mundo de la informática? Crea su definición.

Para ayudarte:
Es un aparato que sirve/se usa para...

EL ORDENADOR O COMPUTADORA

LA IMPRESORA

LA PANTALLA

EL TELÉFONO INTELIGENTE

LOS DISCOS

LA TABLETA

LA CÁMARA WEB

EL MICRÓFONO

LAS LLAVES DE MEMORIA

EL RATÓN

EL TECLADO

LOS AURICULARES

Habla del mundo virtual

Charlando vía skype

Pista 22

Verónica: Miguel, soy Verónica. Mira, he estado hablando con algunos compañeros sobre el próximo año y parece que muchos se cambian de instituto, así que he pensado crear un sitio en Internet para que todos sigamos en contacto. Y, bueno, como a ti se te dan muy bien los ordenadores, he pensado que quizá puedas ayudarme. Podrás hacerlo, ¿verdad?

Miguel: Claro que sí. Pero, oye, ¿no será mejor que abramos una página en tuenti?

Verónica: No sé, ya lo había pensado, pero no me convence, algunos estamos en tuenti, otros en facebook... Se lo he dicho a Lourdes y ella también cree que es mejor una página web o un blog.

Miguel: Sí, un blog es lo mejor. Cada uno puede subir sus fotos o escribir y subir sus entradas cuando quiera.

Verónica: Tú podrás venir mañana, ¿verdad?

Miguel: ¿Después de las clases? No lo sé... Pero quizá podamos hacerlo en el recreo. Pedimos permiso para usar el aula de informática y lo hacemos allí. Montar el blog es muy rápido, depende de cuánto tardemos en elegir el estilo y las fotos del blog.

Verónica: Por mí, estupendo. Para los estilos, ya lo hablamos cuando veamos las plantillas. Para la foto de la cabecera, tengo una que está muy bien de todo el grupo en la excursión del año pasado; o a lo mejor podemos poner una foto de la escuela, que es muy bonita.

Miguel: Pues será muy bonita, pero creo que no tendrá mucho sentido el año próximo, o sea que mejor la foto de la excursión. Tráela el jueves a clase. Supongo que prepararás también un texto, ¿no? ¿O prefieres que lo hagamos juntos?

Verónica: Bueno, se lo he pedido a Julio, que escribe muy bien, y para el jueves seguramente ya estará.

Miguel: Vale. Como yo ahora estoy haciendo aplicaciones para la tableta y el teléfono inteligente, quizá consiga hacer una para el grupo, con el blog y otras cosas, como un chat o un mapa para localizarnos, no sé, voy a pensarlo y a ver qué sale.

Verónica: ¡Genial!

Comprendo

1 ESCUCHA, LEE EL TEXTO Y HAZ LAS ACTIVIDADES DE COMPRENSIÓN

A. Responde a las preguntas.

1. ¿Qué piensa hacer Verónica para mantener el contacto con sus compañeros?
2. ¿Qué tal se le da a Miguel la informática?
3. ¿A quién le cuenta Verónica su idea del sitio?
4. ¿Por qué el blog es la mejor solución?
5. ¿Por qué le ha pedido a Julio que escriba el texto para el blog?
6. ¿Para qué quiere Miguel hacer una aplicación?

B. Localiza en el texto las palabras para estas definiciones.

1. Nombre de dos redes sociales: ▨▨▨▨▨▨▨ y ▨▨▨▨▨▨▨
2. Sinónimo de *página web*: ▨▨▨▨▨▨▨
3. Contenido escrito de un blog: ▨▨▨▨▨▨▨
4. Espacio superior de una página web, donde se suele situar el título de la página: ▨▨▨▨▨▨▨
5. Tres aparatos con los que te puedes conectar a Internet: ▨▨▨▨▨▨▨ , ▨▨▨▨▨▨▨ y ▨▨▨▨▨▨▨

C. Relaciona.

1. Muchos se cambian de instituto el año que viene,
2. A Miguel se le dan bien los ordenadores,
3. Como cada estudiante utiliza distintas redes sociales
4. Van a pedir permiso
5. Miguel está desarrollando unas aplicaciones,

a. así que va a pensar en unas para el blog.
b. así que Verónica ha pensado que le puede ayudar.
c. así que Verónica piensa crear un sitio para que todos sigan en contacto.
d. deciden crear un blog.
e. para crear el sitio en el aula de informática.

Practico y amplío

2 CONOCE EL LÉXICO DE LA INFORMÁTICA

Pista 23

A. Lee el texto y complétalo con las siguientes palabras. Luego, escucha y comprueba.

actualizan
conectarse
correos
entran
muro
social
suben

Diez de la noche: hora de ▨▨▨▨▨▨▨ . Primero, miran el tuenti (la red social favorita entre los adolescentes), leen los mensajes recibidos por los amigos en el tablón público y luego responden a los ▨▨▨▨▨▨▨ contando cómo ha ido la tarde. Según un reciente estudio, cuando ▨▨▨▨▨▨▨ en su red social favorita, los adolescentes principalmente ▨▨▨▨▨▨▨ fotos de sus amigos, las comparten y las comentan. En segundo lugar, escriben privados o en el ▨▨▨▨▨▨▨ . Por último, ▨▨▨▨▨▨▨ el perfil o se informan.
Posteriormente, y antes de acostarse, por el messenger se despiden y se cuentan detalles que han pasado por alto en la red ▨▨▨▨▨▨▨ .

B. Completa las frases con algunas de las palabras anteriores.

1. Tengo el ▨▨▨▨▨▨▨ de mi facebook lleno de mensajes.
2. Esta tarde Felipe me ha mandado un ▨▨▨▨▨▨▨ , pero todavía no le he contestado.
3. Tuenti es una red ▨▨▨▨▨▨▨ .
4. Los contenidos del sitio se ▨▨▨▨▨▨▨ todas las semanas.
5. Mañana ▨▨▨▨▨▨▨ las fotos a mi página, no te preocupes.

3 EXPRESA INTENCIÓN

A. Explica qué piensan hacer los personajes de los dibujos.

Pienso comprarme una tableta.

a

b

c

d

B. Ahora responde: ¿Qué piensas hacer al terminar las clases?

4 INDICA PROBABILIDAD

Quizá cree un blog.

A lo mejor yo también lo creo y seguramente el mío será más bonito.

Gramática

Expresar probabilidad
Quizá **+ subjuntivo**
A lo mejor **+ presente de indicativo**
Seguramente **+ futuro**

A. Completa con una expresión de probabilidad considerando los verbos.

- _____ subo el vídeo de la fiesta a YouTube.
- _____ será divertido. Nos lo pasamos muy bien.
- _____ tenga que preguntarle antes a Pepe, estas cosas no le gustan.
- _____ te dirá que sí. Él tiene muchos vídeos en Youtube.
- _____ vaya luego a su casa y le pregunte.
- _____ te acompaño. Hace tiempo que no lo veo.

B. Completa con los verbos considerando las formas de posibilidad.

- Quizá me (comprar) _____ un portátil nuevo. El mío ya no funciona bien.
- En la tienda que hay en mi calle, seguramente (estar, ellos) _____ rebajados.
- A lo mejor me (acercar) _____ ahora y lo miro.
- Vale, pero piénsalo. Quizá (ser) _____ mejor una tableta.
- A lo mejor (costar) _____ menos, pero seguramente no (hacer) _____ las mismas cosas.

5 DESCUBRE EL USO DEL FUTURO
PARA INDICAR PROBABILIDAD

¡Será carísimo! ¿Tendrá GPS?

Gramática

Con el tiempo de futuro, además de hablar de acciones que todavía no han ocurrido, podemos hacer suposiciones.

Responde a las preguntas. Usa las expresiones de la lista.

estar cansado - ser de un equipo - tener hambre - ir al instituto - ser vegetariana

1. ¿Por qué va María tanto a la cocina? _____
2. ¡Qué raro, es muy pronto y Luis se ha acostado ya! ¿Qué le pasará? _____
3. ¿Por qué está José en la parada del autobús? _____
4. ¡Qué raro, Ana solo compra verdura! ¿Por qué? _____
5. ¿Por qué quiere Julián ir a la final del campeonato? _____

Actúo

6 CREA UN BLOG DE LA CLASE

A. Lee y completa.

chat
conectan
digital
mensajes
móvil
tecnológica
virtual

¿Despertador? Ni hablar. Los saca de la cama la alarma del ▓▓▓▓▓▓▓▓▓▓, el iPod o el ordenador. Viajan en autobús o caminan por la calle ajenos a los «sonidos» de la ciudad, enchufados a su reproductor de música ▓▓▓▓▓▓▓▓▓▓, frenando el paso cada tanto para enviar o controlar ▓▓▓▓▓▓▓▓▓▓ de texto con su teléfono móvil. Usan el ▓▓▓▓▓▓▓▓▓▓ y el messenger para «charlar» con sus amigos, publican historias y fotos en Internet con la naturalidad de quien escribe un mensaje en papel y se adaptan a cualquier novedad ▓▓▓▓▓▓▓▓▓▓ con facilidad intuitiva. Son la generación digital, adolescentes hiperconectados que viven lo ▓▓▓▓▓▓▓▓▓▓ y lo digital como un estilo de vida y un modo de relación social y personal.

El lugar de encuentro ya no es la plaza, la esquina ni el club: es Internet. Los chicos se ▓▓▓▓▓▓▓▓▓▓ porque allí están sus amigos. La gente se refugia en el ciberespacio porque es una manera de no estar solos y de estar comunicados.

B. ¿Te reconoces en el texto? Vais a preparar una encuesta sobre vuestra relación con la tecnología. Responde a estas preguntas.

1. ¿Qué dispositivos electrónicos usas normalmente?
2. ¿Qué tal se te dan los ordenadores? ¿Y la tecnología en general?
3. ¿Cuántas horas diarias navegas por Internet? ¿Estás en alguna red social? ¿En cuál?
4. ¿Qué actividades sueles hacer cuando estás delante del ordenador? Enuméralas de más tiempo a menos tiempo.
5. ¿Tienes un blog o una página personal en Internet o piensas crear una?
6. Si has contestado que sí, ¿qué contenidos publicas en él? Si has contestado que no, pero piensas crear una, ¿qué contenidos crees que publicarás?

C. Compara tus respuestas con las de tus compañeros y haced una estadística.

CÓDIGO <T>

Las tecnologías
• Escribe un texto explicando cómo vives las tecnologías y el ciberespacio.

Participa
en la comunidad de
Código ELE

Comparte tu texto en el blog.

www.edelsa
Zona estudiante

La conferencia del científico Leocadio Fuertes

Las ciencias son importantes porque nos dan ▓▓▓▓▓▓▓ para afrontar los problemas del mundo. Cuando vosotros ▓▓▓▓▓▓ 30 o 40 años, cuando seáis científicos, profesores, abogados o simples ciudadanos, tendréis que afrontar nuevos ▓▓▓▓▓▓, nuevos problemas que todavía no conocemos. Cuando ▓▓▓▓▓▓ a Marte, confirmaremos que no hay marcianos, pero, después de que exploremos el planeta rojo, emprenderemos otros viajes por el firmamento y, mientras viajemos, aparecerán organismos vivos, que nos abrirán nuevas perspectivas. En ese futuro, no tan lejano, ▓▓▓▓▓▓ algunas enfermedades que hoy se cobran miles de vidas. Gracias a los avances de la medicina, viviremos más, esto es seguro, pero quizá vivamos peor. Los retos son infinitos, pero ▓▓▓▓▓▓ de que ese momento llegue, las personas que nos dedicamos a la ciencia nos tenemos que enfrentar a los problemas del presente: el cambio climático, por ejemplo. Todos sabéis que la ▓▓▓▓▓▓ mundial está aumentando muy rápidamente por culpa del hombre. De nosotros mismos. Al ▓▓▓▓▓▓ árboles, al contaminar, al generar basura, estamos contribuyendo al cambio de temperatura. Los expertos ▓▓▓▓▓▓ que el efecto invernadero, producido por la acción del sol y los gases de las fuentes de ▓▓▓▓▓▓ tradicionales, provocará un aumento del nivel del mar y la desaparición de muchas ciudades. Pero la energía es fundamental y como no podemos prescindir de ella, necesitamos ▓▓▓▓▓▓ otro tipo de energía, energía limpia, no contaminante. Energía ▓▓▓▓▓▓. Hasta que no seamos capaces de reducir la contaminación, no descansaremos. Este es el gran reto que los científicos tenemos ahora por delante. Se lo debemos a todas las personas que han creído en la ciencia. Os lo debemos a todos vosotros.

 Comprendo

 1 LEE Y COMPLÉTALA CON ESTAS PALABRAS. LUEGO, ESCUCHA Y COMPRUEBA

> antes – cortar – desaparecerán – dicen – energía – esperándonos – lleguemos
> producir – renovable – respuestas – retos – temperatura – tengáis

 2 HAZ LAS ACTIVIDADES DE COMPRENSIÓN

A. ¿Verdadero o falso?

	V	F
1. Las ciencias se proponen que el mundo vaya mejor.	☐	☐
2. Dentro de unos años seguirá habiendo problemas en el mundo.	☐	☐
3. Dentro de unos años tendremos que enfrentarnos a nuevas formas de vida.	☐	☐
4. Las nuevas formas de vida cambiarán nuestro modo de ver el mundo.	☐	☐
5. Los científicos tienen que pensar en los nuevos problemas para anticiparlos.	☐	☐
6. El hombre contribuye al cambio climático del planeta.	☐	☐
7. Cortar árboles contribuye a crear el efecto invernadero.	☐	☐
8. La producción de energía es el mayor reto de los científicos.	☐	☐

B. **Localiza estas palabras en el texto y úsalas para completar las frases.**

| afrontar |
| perspectivas |
| cobran |
| avances |
| basura |
| contaminante |

1. Los ▩▩▩▩▩▩ de la informática han sido evidentes en estos últimos años.
2. Si queremos ser ciudadanos responsables, tenemos que reciclar la ▩▩▩▩▩▩ .
3. En muchos momentos, tenemos que ▩▩▩▩▩▩ situaciones complicadas.
4. Hay un coche poco ▩▩▩▩▩▩, funciona con energía eléctrica en la ciudad.
5. Las ▩▩▩▩▩▩ de futuro del planeta Tierra son interesantes.
6. Los terremotos se ▩▩▩▩▩▩ muchas vidas cada año.

Practico y amplío

3 CONOCE LOS USOS DE **ANTES DE**, **DESPUÉS DE**, **MIENTRAS** Y **HASTA**

Expresar la anterioridad	Antes de que + subjuntivo	Antes de que consigamos llegar a Júpiter, llegaremos a Marte.
Expresar la posterioridad	Después de que + subjuntivo	Después de que nos explicaran el reciclado, iniciamos la recogida selectiva de basura.
Expresar la simultaneidad	Mientras + indicativo (habitual o pasado)	Mientras descubrimos remedios para las enfermedades, surgen enfermedades nuevas.
	Mientras + subjuntivo (futuro)	Mientras la medicina progrese, se vivirá más años.
Expresar el momento final de una acción	Hasta que + indicativo (habitual o pasado)	Te estuve esperando hasta que llegó mi hermana.
	Hasta que + subjuntivo (futuro)	Hasta que sepamos si hay vida en el universo, seguiremos buscando.

A. **Observa los dibujos y asócialos a las frases.**

Gramática

1. Llamo a María y hablo con ella antes de que llegue a casa.
2. Llamo a María y hablo con ella mientras va a casa.
3. Llamo a María y hablo con ella después de que llegue.
4. Llamo a María y hablo con ella hasta que llegue a casa.

B. **Elige entre** antes de, después de, hasta y mientras.

1. Veré a Marta ▩▩▩▩▩▩ que veamos la película, así que me contará el final.
2. Saldré con él ▩▩▩▩▩▩ que yo quiera.
3. Decidimos que queríamos ser científicos ▩▩▩▩▩▩ escuchábamos la conferencia.
4. Los médicos buscarán una cura a esa enfermedad ▩▩▩▩▩▩ que puedan acabar con ella.
5. ▩▩▩▩▩▩ que empecemos a trabajar, tendremos que prepararnos y formarnos.
6. ▩▩▩▩▩▩ subíamos con el globo, disfrutábamos del paisaje.
7. ▩▩▩▩▩▩ que te vistas, te llevaré a visitar la ciudad.
8. ▩▩▩▩▩▩ que te lo compres, prueba el mío. A lo mejor cambias de opinión.

C. Completa con el verbo en indicativo o en subjuntivo.

1. No lo arreglé hasta que (tener, yo) .... dinero suficiente.
2. Antes de que (venir, tú) .... a mi casa, pásate por la papelería y cómprame un lápiz.
3. Hasta que (saber, vosotros) .... la dirección, no podremos ir.
4. Mientras (venir, nosotros) .... al instituto, anunciaban por la tele que hoy no había clases.
5. Después de que lo (hacer, él) .... , intenta hacerlo tú.

4 RECUERDA Y REPASA LOS USOS DE LOS PRONOMBRES COMPLEMENTO

A. Sustituye las palabras subrayadas por la, se lo, se la, se los o se las.

1. He dicho <u>a Miguel las tres actividades de clase</u>. ....
2. He dado <u>a María los libros que estaban encima de la mesa</u>. ....
3. Hemos regalado <u>un disco a Jesús y a Paco</u>. ....
4. Hemos contado <u>la película a nuestros amigos</u>. ....
5. Me han traído <u>la revista nueva</u>. ....
6. Ha regalado l<u>os libros de Lorca a sus padres</u>. ....

B. Completa.

1. Esos discos que tiene Ana son míos, ... he prestado yo.
2. Leonardo ya sabe la noticia, ... contó su hermano mayor.
3. Tus amigos van a venir a mi cumpleaños. .... he invitado esta mañana.
4. Marisa tiene un teléfono y una tableta nuevos. .... han regalado sus padres.
5. .... he dicho que no voy a ir, pero ellos insisten para que vaya.
6. Pepa asegura que la bicicleta roja es suya. ¿............... has regalado tú?

5 FÍJATE EN LA COLOCACIÓN DE LOS PRONOMBRES

Gramática

Normalmente antes del verbo	Les he dicho la verdad. No se las enseñes tú, ya lo haré yo.
Con el imperativo afirmativo van detrás y unidos al verbo	Dile tu nombre. Cómpraselo.
Con los verbos en infinitivo o gerundio — Van detrás y unidos al verbo	Se cayó al levantarlo. Prohibiéndoles salir no vas a solucionar nada.
Excepto si forman parte de una construcción verbal	Tengo que decírselo = Se lo tengo que decir. Sigo hablándole, pero ya no es mi amigo = Le sigo hablando, pero ya no es mi amigo.

Responde a las preguntas.

1. • ¿Le doy permiso a mi hermano para usar mi ordenador?
   • .... , te lo puede estropear.
2. • ¿Les leo el libro a mis sobrinos?
   • Claro, ... , les gustará mucho.
3. • ¿Quieres que siga comprando la revista de música?
   • Sí, ... hasta que yo te diga.
4. • ¿Dónde tengo que recoger a tus amigos?
   • .... en la plaza Mayor.
5. • ¿Tengo que sacar esos libros de la biblioteca?
   • .... , te los puedo prestar yo.

Actúo

6 **TU CIENTÍFICO O INVENTOR**

A. ¿Recuerdas a Pedro Duque? Es un astronauta español que conociste hace tiempo. No ha estado en Marte, pero sí en el espacio. Ordena los párrafos para completar su biografía y rellena con las palabras propuestas.

astronauta - atmósfera - curioso - ensayos - espacio - gravedad - misión

☐ Al entrar en la universidad, empezó a pensar que podía cumplir su gran sueño: ser _____, por eso eligió la escuela de Ingeniería Aeronáutica. Y, mientras estudiaba, seguía mirando el firmamento y pensando que un día él estaría allá arriba.

☐ Antes de que se jubile, sueña con viajar a Marte y dice que el hombre podrá vivir de forma estable en el _____. Solo es cuestión de tiempo. Su ilusión es inagotable. Y anima siempre a los niños a que sigan su camino. Primero, a que estudien mucho y, después de que lo hagan, a recoger los frutos de sus esfuerzos en forma de sueños cumplidos.

☐ Hasta que terminó sus estudios, su carrera espacial era difícil, pero Pedro Duque otorgó un papel decisivo a la suerte, su gran aliada. Y la suerte lo llevó hasta Alemania donde se presentó a un curso para convertirse en piloto espacial mientras trabajaba en la Agencia Espacial Europea (ESA).

☐ La _____ del *Discovery* duró nueve días en los que la tripulación realizó más de 80 _____ científicos y experimentos, que contribuyeron a conocer la estructura de los genes humanos, los efectos de la _____ en el cuerpo y la mente y a desarrollar nuevos medicamentos. A su vuelta, el astronauta español declaró que había visto la Tierra «pequeña, redonda y con una _____ extremadamente delgada».

☐ Pedro Duque nació el 14 de marzo de 1963 en el barrio obrero de San Blas en Madrid y es hijo de un controlador aéreo. De pequeño, fue un chico inteligente y aplicado, pero extraordinariamente _____ y muy terco. Cuando era pequeño, le gustaba mucho jugar al ajedrez y coleccionar fósiles.

☐ Tras un duro entrenamiento, Pedro Duque cumplió por fin su sueño y viajó fuera de la órbita terrestre. Se convirtió entonces en el primer astronauta de la historia nacido en España. En su nave espacial, Pedro Duque no sintió temores en el espacio. Según él, en una profesión peligrosa la mejor fórmula para evitar que el subconsciente te traicione es no tener miedo.

B. Piensa en tu científico más importante, busca información y redacta su biografía.

CÓDIGO <C>

Tu científico
• Presenta a la clase tu científico.

Tu biblioteca de español

Belén Gopegui

Lee este fragmento de su novela
Deseo de ser punk.

No tenía el ánimo como para concentrarme en ningún libro, así que me fui a los ordenadores. Aunque todavía no eran las cuatro de la tarde, estaban los seis ocupados. Por lo menos, esperando no había nadie; el primero debía quedar libre en cinco minutos, me dijeron. Me quedé de pie y de repente apareció Alex, el hermano de Vera. Impresiona bastante, ¿sabes? Es que tiene exactamente la misma cara que su padre, aunque con treinta años menos o por ahí.

También tiene su voz más aguda. Le reconocí por ella, yo miraba hacia otro lado, pero le oí preguntar:
—¿Cuánto falta para que quede uno libre?
—Quince minutos —le contestaron. Entonces me di la vuelta.
—Hola, Alex. ¿Tienes mucha prisa? Puedo cederte mi turno.
—¡Hola, Martina! Sí, quería mandar un correo. Tardo un minuto.
—Vale.

Luego esperamos callados. Los dos nos llevamos bien, no estábamos incómodos. Cuando se levantó la chica del ordenador, le dije a Alex:
—Todo tuyo.
Yo me quedé en el mismo sitio, y le vi abrir el correo desde lejos y escribir algo. Luego me llamó con la mano. Me acerqué.
—Ya está. Ponte tú. Yo ya espero mi turno.

Me senté al ordenador. Alex se quedó de pie a mi lado. Normalmente me habría molestado muchísimo, pero en ese momento no me molestaba.

Busqué el segundo vídeo de Johnny Cash. Le conté a Alex que había ido varias veces a cantar a las prisiones y que hicieron un documental sobre eso, y hay partes colgadas en YouTube. Le digo en voz baja que en el trozo que vamos a ver canta una canción de amor y de lealtad, pero que lo que me gusta no es tanto la canción, que no está mal, como la manera en que Johnny Cash se sube al escenario.

Biografía

Es una de las mejores escritoras jóvenes españolas de la actualidad. Ha recibido varios premios, tanto españoles como hispanoamericanos, por sus novelas. En 2009 escribió *Deseo de ser punk*, una novela que retrata, con la música *rock* como telón de fondo, el inconformismo de la adolescencia a partir de la voz de Martina, una chica de 16 años.

Deseo de ser punk es una confesión, el desahogo de una joven, que intenta buscar su lugar en el mundo.

COMPRENDO

1. Marca la opción adecuada.

¿Dónde están?
☐ En casa de Martina.
☐ En una biblioteca.
☐ En una tienda de ordenadores.

¿Qué siente Martina por Alex?
☐ Le gusta Alex.
☐ Le molesta Alex.
☐ Ni le gusta ni le molesta, le es indiferente.

¿Cómo se siente Martina con Alex?
☐ Mal, se pone nerviosa.
☐ Se siente impresionada, incómoda.
☐ Se siente bien, cómoda.

2. Responde a las preguntas.

¿Por qué tiene que esperar Martina para usar un ordenador?
¿Cómo es físicamente Alex?
¿Por qué le gusta a Martina la canción de Johnny Cash?

3. Responde, ¿verdadero o falso?

	V	F
Martina quiere leer un libro, pero no puede porque tiene que escribir un correo.	☐	☐
Martina se da cuenta de la presencia de Alex porque lo escucha.	☐	☐
Alex le recuerda a Martina al padre de él.	☐	☐
Alex no tiene prisa para usar el ordenador.	☐	☐
A Martina le molesta que Alex se quede a su lado mientras usa el ordenador.	☐	☐
Martina busca un vídeo en YouTube.	☐	☐

APRENDO

Completa las frases.

Martina está en una biblioteca, pero no tiene ganas de leer, así que ....
Martina podrá usar un ordenador cuando ....
Martina reconoció a Alex porque su voz ....
Martina cede su turno a Alex porque su amigo ....

ESCRIBO

Describe tu estilo de música. Para ello responde a estas preguntas.

¿Tú tienes una música tuya? Habla de tu música y de cómo ha cambiado tu modo de escucharla.
¿Tienes CD o la almacenas en tu ordenador?
¿La llevas siempre contigo? ¿Dónde?
¿Usas YouTube u otros servicios similares para acceder a ella?
¿Te gusta escucharla con auriculares o prefieres que todo el mundo se entere?

La ciencia antes de la llegada de los españoles
Tres civilizaciones muy avanzadas

Cuando los españoles llegaron a América, se quedaron maravillados con las grandes ciudades que encontraron. Eran el fruto de las civilizaciones que se habían desarrollado o se estaban desarrollando en el continente, entre las que destacan, por el elevado nivel alcanzado, las culturas inca (Perú y otros países andinos), maya (México y otros países centroamericanos) y azteca (México).

El alto grado de desarrollo de estas civilizaciones alcanzó también el ámbito científico. Los incas desarrollaron la astronomía, la arquitectura y las técnicas agrícolas. Pero sobre todo sobresalieron en medicina (llegaron a realizar intervenciones quirúrgicas) y en matemáticas. Los mayas, por su parte, destacaron también por su arquitectura, por la astronomía (a ellos se debe el calendario de 365 días) y las matemáticas (utilizaron el cero ya en el 40 a.C.). Pero sobre todo, los mayas desarrollaron el sistema de escritura más completo de todos los pueblos indígenas americanos. Con este sistema, escribieron textos de medicina, botánica, matemáticas, historia, astronomía... Los aztecas, por su parte, recogieron y desarrollaron la herencia de los mayas y brillaron con luz propia en medicina (los sacrificios humanos favorecieron un buen conocimiento de anatomía; sabían curar fracturas o mordeduras de serpiente y se ocupaban también del cuidado de los dientes) y en astronomía. Veamos algunos de sus avances científicos:

Cuchillo ceremonial inca

Códice maya

Reproducción del calendario azteca

• La astronomía azteca no se puede entender sin mencionar su relación con la arquitectura. Este pueblo construyó grandes edificaciones, especialmente pirámides, en honor al sol, la luna y otros astros. Muchos de estos espacios eran también observatorios desde donde seguir el movimiento celeste.

• Usando como guía el horizonte, construían los planos para sus ciudades y edificios más importantes. Las líneas equinocciales les servían de orientación. El Templo Mayor, por ejemplo, está alineado de tal forma que durante el equinoccio de primavera el sol pasa entre dos de sus construcciones.

• La observación de los cielos permitió que los aztecas descubrieran la duración del año solar, el mes lunar y las revoluciones de Venus. Desarrollaron calendarios y predijeron eclipses lunares y solares, así como el paso de cometas y estrellas fugaces.

• El más famoso es la Piedra del Sol, una gran piedra redonda de más de 20 toneladas de peso. Este calendario se construyó entre 1427 y 1479 y en su centro se encuentra una imagen del dios Sol rodeado por seres vivos y elementos naturales que representan las estaciones y los días del mes azteca.

1. Responde a las preguntas.
1. Cuando llegaron a América los españoles, ¿esperaban civilizaciones tan avanzadas como las que encontraron?
2. ¿Qué ámbito científico es el que destaca en general en las civilizaciones consideradas? ¿Y en qué sobresalía cada una de esas civilizaciones?
3. ¿Por qué sabían tanta anatomía los aztecas?
4. ¿Para qué servían las pirámides aztecas?
5. Explica cómo es el calendario Piedra del Sol.

2. Completa las frases.
1. Algunas civilizaciones precolombinas alcanzaron
2. El sistema de escritura maya era
3. Gracias a la herencia de los mayas, los aztecas
4. Para construir sus edificios los aztecas se orientaban
5. Gracias a su alto nivel en astronomía, los aztecas

3. Estas son algunas de las ramas de la ciencia en las que brillaron las distintas civilizaciones precolombinas. Intenta definirlas

Medicina: *Es la ciencia que estudia...*
Botánica:
Astronomía:
Arquitectura:
Matemáticas:
Historia:

4. Dividid la clase en tres grupos. Cada uno se ocupará de una de las tres civilizaciones del texto. Tenéis que buscar datos sobre ellas para escribir un pequeño artículo en el que explicarles a vuestros compañeros dónde vivían, cuándo se desarrolló la civilización, cómo era su vida cotidiana, etc. Completadlo con fotos de sus principales edificios.

Variantes del español

Relaciona estas variantes con su significado.

1. Computación (Argentina, Chile, México)
2. Computadora (Argentina, México, Venezuela), computador (Chile)
3. Video (Argentina, México, Chile, Venezuela)
4. Noticiero (Argentina, México, Chile, Venezuela)
5. Celular (Argentina, México, Chile, Venezuela)
6. Casilla de mensajes (Argentina)
7. Parlantes (Argentina), bocinas (México), cornetas (Venezuela)
8. Audífonos (Chile, México, Venezuela)
9. Prender un aparato (Argentina, México, Chile, Venezuela)
10. No andar un aparato (Argentina), estar malo (Chile, Venezuela)
11. Arreglo (Argentina)

a. Encender
b. Ordenador
c. Reparación
d. Auriculares, cascos
e. Altavoces, bafles
f. Buzón de voz
g. Móvil
h. Telediario, informativo
i. Informática
j. No funcionar
k. Vídeo

AHORA YA SÉ

Comunicación

Expresar intención

1. Transforma las frases en intenciones como en el ejemplo.

1. Iré al museo la próxima semana.

   Pienso ir al museo la próxima semana.

2. ¿Vendrás a clase de Física mañana?

3. Pablo se hará una cuenta en tuenti.

4. Reciclaremos todo el papel que usamos.

5. ¿Vendréis en moto?

6. Ana y Felipe abrirán un blog sobre ciencias.

Expresar la probabilidad

2. ¿Qué le pasará a Laura? Está un poco rara. Intenta expresar tus conjeturas.

1. Tener un problema: Quizá

2. Estar enfadada: A lo mejor

3. Estar cansada: Seguramente

4. No saber qué hacer: A lo mejor

5. Estar nerviosa: Quizá

6. Sentirse mal: Seguramente

Expresar consecuencia

3. Elige un verbo para cada frase y expresa consecuencia.

> acompañar - encontrar - entrar - leer - prestar - ser

1. No me conecté ayer, así que no   tu mensaje.

2. No voy a ir al cine mañana, o sea que te   si quieres.

3. Ya nunca hablas conmigo, o sea que ya no   amigos.

4. Marta ha perdido el disco que le dejé, así que no le   más cosas.

5. Llegamos tarde al concierto, así que no   .

6. El aula de conferencias estaba llena, o sea que no   sitio.

4. Completa las frases.

1.   , así que no opino.

2.   , así que no puedo ir.

3.   , o sea que por este oído no oigo nada.

4.   , o sea que puedo ir, pero no puedo esquiar.

5.   , así que me voy ya.

6.   , así que no pienso invitarte a mi cumpleaños.

Usos de **antes de**, **después de**, **mientras** y **hasta**

5. Completa las frases.

1. Hasta que (encontrar) ▨▨▨▨▨▨ a mi hermano, no te muevas de ahí.
2. Después de que (ver) ▨▨▨▨▨▨ mi blog, querrás hacerte uno.
3. Antes de que (llegar) ▨▨▨▨▨▨ tus padres, ordena la habitación.
4. Mientras (hacer) ▨▨▨▨▨▨ los deberes, puedes comer algo.
5. Después de que te (decir) ▨▨▨▨▨▨ sus nombres, pregúntales por sus apellidos.
6. Quédate en la cafetería hasta que (llegar) ▨▨▨▨▨▨ con mi primo.
7. Antes de que (empezar) ▨▨▨▨▨▨ el concierto, llama a mamá y dile que no llegaremos a cenar.

Gramática

Usos del futuro

6. Completa con los verbos en futuro simple o en presente.

1. Cuando llegues a clase, (saludar) ▨▨▨▨▨▨ siempre.
2. (Costar) ▨▨▨▨▨▨ mucho, supongo. Es el mejor móvil del mercado.
3. ¿Cuántos años (tener) ▨▨▨▨▨▨ Lucas? Nunca lo quiere decir.
4. Seguramente (ir, nosotros) ▨▨▨▨▨▨ después a mi casa.
5. Dice que mañana (estar) ▨▨▨▨▨▨ en su casa esperándonos.
6. Cuando (ver) ▨▨▨▨▨▨ toda esta contaminación, te enfadarás.

Indicativo o subjuntivo

7. Completa con los verbos en la forma adecuada.

1. Quizá (poder, tú) ▨▨▨▨▨▨ ayudarme, tengo un pequeño problema.
2. Cuando (leer) ▨▨▨▨▨▨ cosas sobre el cambio climático, pienso que tenemos que hacer algo pronto.
3. Cuando (saber) ▨▨▨▨▨▨ el precio, me lo dices.
4. Pepe me llamará antes de que (terminar) ▨▨▨▨▨▨ la conferencia.
5. Lola dice que (ir, tú) ▨▨▨▨▨▨ a su casa inmediatamente.
6. A lo mejor (poder, vosotros) ▨▨▨▨▨▨ hacer algo por mí.

Léxico

Los nombres de las nuevas tecnologías

8. Completa las frases usando una de estas palabras:

> aplicaciones - comparto - conectarme - chateo - móvil - página - red social

1. Mi ▨▨▨▨▨▨ favorita es facebook.
2. Como no hay red, hoy no he podido ▨▨▨▨▨▨ a Internet.
3. Hoy en día, con un ▨▨▨▨▨▨ puedes leer tu correo.
4. Nunca ▨▨▨▨▨▨ mi perfil con desconocidos.
5. Tengo pocas ▨▨▨▨▨▨ instaladas en mi tableta.
6. La ▨▨▨▨▨▨ web de la escuela no se abre.
7. Cuando llego a casa, siempre ▨▨▨▨▨▨ con mis amigos por Internet.

Preparo
mi examen

Desde niños una _____ innata nos lleva a buscar, crear, imaginar y _____ el mundo. Afortunadamente para todos, estas virtudes siguen vivas en los _____ y, gracias a ellos, la ciencia nos ha permitido _____ nuestro entorno en profundidad. Sin embargo, el campo de la _____ es enorme, diverso y muy especializado.

Por ello, quienes no somos iniciados en la materia difícilmente podríamos entender y valorar todos esos _____. Se requieren puentes que comuniquen efectivamente a los científicos y la _____.

La divulgación de la ciencia es la _____ que permite ofrecer al público en _____ un abanico de posibilidades, de espacios y de recursos con los cuales _____ observar, experimentar, explicar y generalizar la riqueza del _____ que nos rodea.

ESCUCHO Escucha la conversación entre David y Gonzalo, y responde a las preguntas.

Pista 25

1. ¿Qué se puede hacer con el nuevo teléfono de David?
2. ¿Cuánto le cuesta al mes su contrato y qué puede hacer con ese dinero?
3. ¿Se comprará uno Gonzalo?

ESCRIBO Responde a las preguntas.

¿Cómo imaginas tu futuro? ¿En qué crees que trabajarás?
_____

¿Cómo será el mundo en el que vivirás?
_____

¿Qué haces hoy para conseguir un mundo mejor?
_____

HABLO Explícale a tu compañero qué aparatos tienes en casa. ¿Qué puedes hacer con ellos? ¿Qué otros aparatos que no tienes te gustaría tener?

arte
y aparte

Estampas de la cometa

Equipo crónica

Observa

Describe el cuadro. Para ello, responde a estas preguntas:
En el cuadro hay siete personas y un perro. Señálalos.
¿Qué están haciendo?
Hay dos objetos dibujados de forma realista, ¿qué son?
¿Dónde se desarrolla la escena?

Comenta

Analiza estos aspectos.
Este cuadro es un homenaje a otro cuadro de Velázquez,
Las meninas. Compara las diferencias y las similitudes.
Fíjate especialmente en el cambio de los colores entre el
original y este, ¿cómo son?
¿Cómo definirías el estilo?

Da tu interpretación

¿Qué sentimiento te provoca el cuadro?
¿Te gusta? ¿Por qué?

Carpeta de actividades complementarias

Contiene:

Seis exámenes de preparación a los exámenes oficiales de fin de curso:

Modelo de examen 1

Prueba 1, Comprensión lectora:
Texto poético

Nombre: ....
Curso: ....
Fecha: ....

Lee el texto y responde a las preguntas.

VIAJAR
(Gabriel García Márquez)

Viajar es marcharse de casa,
es dejar los amigos,
es intentar volar.
Volar conociendo otras ramas
recorriendo caminos,
es intentar cambiar.
Viajar es vestirse de loco,
es decir «no me importa»
es querer regresar.
Regresar valorando lo poco,
saboreando una copa,
es desear empezar.

Viajar es sentirse poeta,
es escribir una carta,
es querer abrazar.
Abrazar al llegar a una puerta
añorando la calma,
es dejarse besar.
Viajar es volverse mundano,
es conocer otra gente,
es volver a empezar.
Empezar extendiendo la mano,
aprendiendo del fuerte,
es sentir soledad.

Viajar es marcharse de casa,
es vestirse de loco,
diciendo todo y nada con una postal.
Es dormir en otra cama,
sentir que el tiempo es corto,
viajar es regresar.

- ¿Qué es para el autor el viaje?
- ¿Crees que es algo positivo? Explica qué elementos te llevan a pensar eso.
- ¿Crees que el poema es estático o te parece que invita al movimiento? ¿Cómo crees que se consigue ese efecto?
- El poema empieza diciendo «viajar es marcharse» y termina con «viajar es regresar». Parece un contrasentido. Explícalo.
- Viajar es estar solo y conocer a gente, otra contradicción. Explícala también.
- ¿Para ti un viaje va también asociado a la escritura? ¿Qué escribes cuando viajas? ¿Qué te gusta contar?
- ¿Qué es para ti un viaje? Habla de cosas que no aparezcan en el texto.

Correo electrónico

Lee el siguiente «e-mail». Es la respuesta a otro correo anterior tuyo. Fíjate en los elementos que organizan el «e-mail». Además, en amarillo están evidenciadas las referencias a tu correo. Tenlas en cuenta y escríbelo, explicando cómo fueron tus vacaciones.

Encabezamiento y saludos

¡Hola, Arturo! ¡Menos mal que has vuelto ya! Esto estaba muy aburrido sin ti.

Respuesta concreta al correo anterior

Para el sábado, sin problemas. Tengo que ver a qué hora puedo, pero nos vemos, fijo.

Cuerpo del mensaje

Bueno, parece que te lo has pasado genial, ¿no? Yo no puedo decir lo mismo. En agosto me tuve que quedar en Sevilla para estudiar y septiembre ha sido una locura, con tres exámenes bastante difíciles, pero creo que me han salido bien :-)
Menos mal que en julio me lo pasé estupendamente. Al final estuvimos en Conil, en la casa de mis tíos. Estaban mis primos, así que nos divertimos mucho. Íbamos a la playa, hacíamos películas con el móvil... Jugamos mucho con el iPad de mi primo Ángel y también hicimos alguna excursión estupenda. Fuimos a Doñana y vimos un montón de animales y también estuvimos en Bolonia que tiene unas ruinas romanas muy bonitas. Además fuimos a Gibraltar, hablé inglés y todo... En fin, estuvo muy bien, pero nada que ver con tu viaje y seguro que los animales que tú has visto eran más grandes que los de Doñana :-)

Despedida, saludos y firma

Bueno, ahora te dejo, que tengo que hacer un recado a mi madre. Mándame unas fotos de tu viaje que no puedo esperar al sábado para verlas.
Nos vemos en un par de días.
Un abrazo,
Pepe

Posdata, añadidos a la carta

PD: Mañana te confirmo a qué hora estoy libre el sábado, tengo que hablar con el entrenador.

Prueba 3, Interacción oral:

Un viaje

Cuenta el mejor viaje de tu vida.

Modelo de examen 2

Prueba 1, Comprensión lectora:
Artículo periodístico

Nombre: ....
Curso: ....
Fecha: ....

Lee el artículo y responde a las preguntas.

Calcula tu seguro con **Línea Directa** y ahorra.

Seguro de coche   Seguro de moto   Seguro de hogar   Selecciona tu seguro   **902 123 305**

Clasificados 11870.com Vivienda Empleo Coches mujerhoy.com

Viernes, 26 abril 2013   Hoy 16 20   Mañana 13 19

lasprovincias.es

SÍGUENOS
En Twitter
Las últimas noticias en tu timeline

Iniciar sesión con   Regístrate

Portada Comunitat Valenciana Deportes Economía Más Actualidad Gente y TV Ocio Participa Blogs Servicios ⊠ Hemeroteca   IR

Valencia Alicante Castellón Sucesos Política Gastronomía Fallas Valencia CF Levante UD Lo más visto SALUDREVISTA INNOVA ⊕ **lasprovincias TV** ▶

Los jóvenes de Foios disponen de un parque para realizar grafitos. El objetivo es evitar que se ensucien el resto de paredes del municipio

Los grafiteros de Foios ya no tendrán que esconderse para hacer sus obras maestras. Ahora podrán pintar con total tranquilidad y enseñar a todos sus vecinos lo que son capaces de hacer con un par de tubos de pintura. El recién inaugurado parque del sector sur ha sido el lugar habilitado por el Ayuntamiento de la localidad para instalar tres muros de grandes dimensiones. Ahí será donde los grafiteros del municipio podrán pintar.

La iniciativa pionera comenzó a gestarse hace cerca de un año. Un grupo de jóvenes, de entre 14 y 18 años, cansados de pintar en el barranco del Carraixet y en otros muros, decidieron acudir al Ayuntamiento y entrevistarse con el alcalde, Javier Ruiz.

«Le pedimos que nos pusiera un espacio para pintar sin que molestáramos a los vecinos, de esta forma nadie nos podría llamar la atención», explica Cristian, uno de los promotores. «Propusimos al alcalde que si nos habilitaba ese espacio, nosotros nos encargaríamos del mantenimiento y nos comprometíamos a no hacer pintadas por el pueblo». Esta idea fue bien recibida por el alcalde del municipio que también ha instalado numerosos bancos en la zona y grandes papeleras para que se depositen allí los tubos de pintura. Además, otra de las normas que deben cumplir estos artistas callejeros es que los grafitos que hagan no deberán ser nunca ofensivos ni discriminatorios.

Según indicó Cristian, uno de los grafiteros, «estamos muy contentos con este nuevo espacio. Ahora nos sentimos más libres, podemos hacer lo que nos gusta y ya no tenemos que estar pendientes de si alguien nos va a pillar o si algún vecino nos va a reñir».

Adaptado de www.lasprovincias.es

1. ¿Quién es el/la protagonista?
2. ¿Dónde pasan los hechos de los que se habla?
3. ¿Cuándo pasa lo sucedido?
4. ¿Por qué?
5. ¿Cómo termina lo sucedido?
6. ¿Qué aspectos positivos destaca uno de los grafiteros?
7. ¿Qué piensas de los grafitos?
8. ¿Qué te parece la propuesta del artículo?
9. ¿En tu barrio/ciudad/instituto existe el problema de los grafitos?

Fíjate en las siguientes palabras: te indican las diferentes partes de un artículo periodístico. ¿A qué términos corresponden en tu lengua?

Título

Subtítulo

Entrada

Cuerpo

Prueba 2, Expresión escrita:
Resumen informativo
Observa las estrategias. Luego, vuelve a leer el texto anterior y subraya las frases más importantes. Resume, por último, el contenido en 10 líneas.

Estrategias
- ☐ Lee con cuidado el texto completo.
- ☐ Marca las frases más relevantes, eliminando las palabras menos importantes.
- ☐ Relaciona estas frases, no se te olviden los conectores.
- ☐ Cambia las expresiones del autor por las tuyas personales.
- ☐ Vuelve a leer tu tarea, pon atención en la coherencia, en la gramática y si has escrito toda la información útil para que se entienda lo sucedido.

Prueba 3, Interacción oral:
Tu instituto
Presenta tu instituto. Ten en cuenta los puntos que te damos. Tienes dos minutos.

- ☐ El edificio
- ☐ Lo que se estudia
- ☐ Los profesores
- ☐ Lo que cambiarías

Prueba 1, Comprensión lectora:
Texto narrativo

Nombre: ....
Curso: ....
Fecha: ....

Lee este fragmento de una novela y responde a las preguntas.

La insolación (Carmen Laforet)

No podía separarse de los Corsi. No podía ni pensar en un día sin ellos. Los Corsi, a veces, le desesperaban, pero no podía tomárselo en cuenta.

Una tarde los Corsi no llamaron y Martín se aventuró a entrar en la finca. Frufrú le indicó vagamente que buscase a los chicos en el pinar. Martín se hartó de aquella búsqueda, oyó sus cuchicheos y sus risas como los primeros días de Beniteca, cuando le acechaban. Espoleado, siguió llamando y buscando, y una y otra vez intentó renunciar, aburrido y exasperado por la habilidad que ellos demostraban en esconderse. Pero una y otra vez corría cuando creía ver el vestido de Anita o la cabeza de Carlos entre los troncos de los pinos. Más de una hora tuvieron a Martín practicando este juego de buscarles y cuando aparecieron de pronto, chillando a espaldas suyas, fingieron gran sorpresa al verle. Martín intentó enfadarse y Anita se encogió de hombros.

-Martín, esta es nuestra casa. Hacemos lo que queremos y si no te gusta puedes no aparecer más.

Martín pensó seriamente en no aparecer más -pero mientras lo pensaba no se iba de aquí de junto a ellos-. Se despidió con aire digno al terminar la tarde sintiendo que la garganta le dolía y con el ceño fruncido al despedirse. Al día siguiente, apenas despertó, pudo oír que le llamaban ya desde detrás de la casa, junto al portillo. Antes que ningún día. Se le olvidó todo su enfado. Quizá si hubieran estado siempre discutiendo Martín habría terminado por no poderlos soportar -lo pensaba a solas algunas veces-, pero en general lo que hacían los tres era vivir juntos los días de sol -todos los días como un largo día con las interrupciones de la noche, de las horas de las comidas y de los domingos por la mañana-, y la felicidad de estar juntos los tres era algo casi tangible, a pesar de las pequeñas y grandes amarguras de Martín.

(...)

Martín sabía todo. Sabía que para los Corsi lo importante eran ellos mismos, sus propias opiniones, su propio deseo de las cosas. Martín solo contaba cuando era él la diversión, la compañía, el aplauso que necesitaban.

1. ¿Quiénes son los Corsi?
2. Por los datos que te da el texto, ¿cómo te los imaginas? Usa algún adjetivo para describirlos.
3. Los tres personajes al principio del texto parece que juegan al escondite. ¿Qué crees que simboliza esa escena?
4. ¿Qué le impide al protagonista enfadarse con ellos?

Prueba 2, Expresión escrita:

Diálogo

Lee el diálogo y la descripción de un diálogo. Responde a las preguntas y luego redacta un diálogo entre dos amigos que discuten porque uno cree que el otro ha puesto cosas falsas sobre él en facebook. Resuelve el conflicto.

Marta: ¡Hola, María! ¿Qué tal?

María: **Pues** fatal, la verdad.

Marta: ¿Y eso? ¿Qué te ha pasado?

María: **Pues que** he reñido con Paco y ya no me habla. Ha desaparecido, lo veo en clase, pero ya está, no me saluda, no me mira, no me manda mensajes...

Marta: **¡Venga ya!** Pero si sois muy buenos amigos... ¿Qué os ha pasado?

María: Nada, **de verdad**. Bueno, sí, discutimos un poco, pero fue una tontería.

Marta: **Hombre**, una tontería no creo, porque Paco es muy sensato. Seguro que algo le ha dolido.

María: **Pues la verdad**, en este caso, no ha demostrado ser tan sensato. Nada, **es que** el otro día estaba cansada y no le hice el favor que me pedía, así que piensa que no soy lo suficientemente fiable y ya no se siente mi amigo.

Marta: Bueno, **hombre**, si solo es eso, seguro que se le pasará pronto.

María: **Pues la verdad**, no estoy tan segura. Es muy cabezota y cuando se le mete algo...

Marta: Oye, si quieres hablo con él, a ver qué me dice. ¿Qué te parece?

María: **¡Guay**! Tú le caes muy bien, así que seguro que lo calmas.

Marta: **¡Ojalá**!

> Los diálogos son negociaciones, el intercambio de opiniones o puntos de vista. En los diálogos, son fundamentales los marcadores de discurso o conectores, esas palabras que nos sirven para entrar en la conversación o para mantener el hilo del discurso o para marcar nuestro turno de palabra. Con ellos intensificamos nuestras afirmaciones o mostramos nuestra alegría o decepción.

1. ¿Qué conector se usa para llamar la atención del oyente?
2. ¿Qué conector se usa para tener tiempo antes de responder?
3. ¿Qué conector se usa para reforzar el punto de vista del hablante?
4. ¿Cuál expresa incredulidad?
5. Uno de los conectores expresa justificación. ¿Cuál?
6. Fíjate en el *hombre*. Aparece dos veces, pero con dos valores diversos. ¿Cuál denota disconformidad o desacuerdo y cuál propone una relación afectiva con el oyente?
7. ¿Con qué marcador se expresa alegría, optimismo? ¿Y esperanza?

Prueba 3, Interacción oral:

Una discusión

¿Has reñido alguna vez con un buen amigo? Cuenta los motivos y cómo te sentiste. Cuenta también cómo acabó la situación.

Modelo de examen 4

Prueba 1, Comprensión lectora:
Una anécdota

Nombre: ....
Curso: ....
Fecha: ....

Lee el artículo y responde a las preguntas.

Cómo triunfar en la vida

Vicente Holgado era un ingenuo. Un día vio un libro titulado *Cómo triunfar en la vida*; en seguida pensó que le bastaría leerlo para alcanzar el éxito. Lo compró, lo leyó y no entendió nada. (...)

Hubo, sin embargo, algo que le llamó la atención: y es que en el capítulo décimo, donde se mostraba el ingenio de algunos hombres para ganar dinero, se contaba la historia de un sujeto de Nueva York que puso en la prensa el siguiente anuncio: «Si quiere hacerse rico en 15 días, envíe 50 dólares al apartado de correos número tal». Por lo visto, el hombre recibió miles de cartas a las que contestó con esta breve frase: «Haga lo mismo que yo».

Contaba el libro que el sujeto en cuestión fue llevado a los tribunales sin éxito, pues pudo demostrar que efectivamente se había hecho rico en dos semanas con tan sencillo método. Vicente Holgado estuvo dándole vueltas al asunto durante algunos días. Nunca había figurado entre sus objetivos el de hacerse rico, pero le asombró la simpleza del mecanismo por el que alguien había llegado a serlo. Además, le fascinaban las cartas, los anuncios, el teléfono y en general todo aquello que servía para poner en contacto a personas que no se conocían.

De manera que decidió probar suerte con el sistema americano y colocó en la prensa local, en la sección de anuncios por palabras, el siguiente reclamo: «Si quiere hacerse rico en 15 días, envíe 5000 pesetas* a tal dirección». Puso su domicilio particular, pues no sabía lo que era un apartado de correos. Además, eligió -de los dos periódicos que había en su ciudad- el de menos tirada porque era también el de tarifas más bajas.

El resultado fue que recibió una sola carta, con las 5000 pesetas y una demanda urgente de soluciones para alcanzar la riqueza. Vicente pasó unos días atroces, pues no sabía qué contestar al pobre señor. Además, vivía permanentemente corroído por la culpa, pues pensaba que quizá le había robado 5000 pesetas a alguien muy necesitado. No podía, por otra parte, contestarle que hiciera lo mismo que él, pues era evidente que sería tan pobre como antes.

Finalmente, cuando la culpa alcanzó una intensidad insoportable, decidió ir a ver al ingenuo que le había enviado el dinero para devolvérselo y pedirle disculpas. El sujeto vivía en una casa baja del extrarradio, donde regentaba una mercería situada al lado de un hipermercado.

-¿Don Felipe Gastón? -preguntó a un tipo que estaba al otro lado del mostrador.
-Yo soy -contestó el sujeto.
-Mi nombre es Vicente Holgado y soy el autor del anuncio de cómo hacerse rico.
-Por fin- respondió el hombre saliendo del mostrador-, llevo una semana esperándole. Fíjese en qué situación estoy. Desde que han puesto el hipermercado ese ahí al lado no vendo ni un botón. Dígame, por favor, cómo puedo hacerme rico en 15 días.

Vicente holgado no tuvo valor para confesarle que su sistema era un desastre. Hizo un plan de viabilidad que consistía en convertir la mercería en guardería para custodiar a los niños de los matrimonios que iban al hipermercado mientras estos realizaban sus compras.

* 30 euros.

Adaptado de Juan José Millás

1. Vicente Holgado, el protagonista del cuento, ¿dónde encuentra la solución a sus problemas?
2. ¿Qué tipo de problemas tenía Vicente?
3. ¿Qué tiene que hacer para tener éxito?
4. ¿Cuánto dinero recibe?
5. ¿Quién ha enviado el dinero?
6. ¿Qué hace Vicente con el dinero?
7. ¿Qué solución le propone Vicente?

Prueba 2, Expresión escrita:
Escribir una carta
Según el esquema de reacción de una carta que te explicará tu profesor, elige una de las tres situaciones siguientes y escribe tu carta.

1. Escribe una carta a alguien que va a estudiar en tu instituto.

Tienes que describir:
- ☐ El instituto y los compañeros.
- ☐ Tus sensaciones sobre el instituto y sobre el examen que se acerca.
- ☐ Los idiomas extranjeros que has estudiado (lo que te ha gustado y lo que te ha salido más difícil).
- ☐ Tus próximas vacaciones (dónde, con quién, cuándo, qué vas a hacer...).

Para conocer mejor a tu amigo hazle preguntas sobre su vida escolar, su tiempo libre e invítale a tu casa para las próximas vacaciones.

2. Escribe una carta a un chico/a extranjero/a que desea conocerte.

Tienes que describir:
- ☐ A tu familia y a ti mismo (físico, carácter, gustos y aficiones...).
- ☐ Tu casa, tu barrio y la ciudad en la que vives.
- ☐ Tus cantantes preferidos, cuándo escuchas música y por qué.
- ☐ Los deportes que más te gustan y los que practicas, expresa tu opinión sobre el deporte.
- ☐ Una excursión que has hecho este último año (dónde, cuándo, por qué, tus opiniones...).

Para conocerle mejor hazle preguntas sobre él/ella, su familia, sus aficiones, su instituto, sus deportes. Lo/La vas a invitar para las próximas vacaciones y al mismo tiempo le hablas de tus próximas vacaciones.

3. Acabas de celebrar tu fiesta de cumpleaños, escribe una carta a un amigo.

Tienes que decir:
- ☐ Quién estaba.
- ☐ Dónde lo celebraste.
- ☐ Lo que hicisteis.
- ☐ Lo que comisteis.
- ☐ Los regalos que recibiste.
- ☐ Algo divertido que pasó (puedes inventar...).
- ☐ Qué piensas hacer en tu próxima fiesta.

Prueba 3, Interacción oral:
Una descripción
Describe a un amigo o a una amiga (cuándo y dónde os conocisteis, su aspecto físico y su carácter, lo que le gusta y no le gusta, por qué sois amigos...).

Modelo de examen 5

Prueba 1, Comprensión lectora:
Texto teatral

Lee el fragmento y responde a las preguntas.

Código 3

Nombre: ....
Curso: ....
Fecha: ....

Adaptado de *Las bicicletas son para el verano* (Fernando Fernán Gómez)

(Campo muy cerca —casi dentro— de la ciudad. Cae de plano el sol sobre el campo, sobre las zonas arboladas y los edificios a medio construir. Se oye el canto de los pájaros y los motores y las bocinas de los escasos coches que van hacia las afueras. Pasean dos chicos como de catorce años, PABLO y LUIS. Llevan pantalones y camisas veraniegas).

PABLO.—Me ha dicho Ángel García que a él le ha gustado un rato. Es de guerra, ¿sabes?

LUIS.—Ya, ya lo sé.

PABLO.—A mí son las que más me gustan.

LUIS.—¿Vas con tus padres?

PABLO.—Sí, como todos los domingos. Se han empeñado en ir al «Proye».

LUIS.—Pero ahí echan *Vuelan mis canciones.*

PABLO.—Claro, por eso. Me han mandado a las once a la cola, pero yo he sacado las entradas para el «Bilbao». Luego les digo que en el «Proye» ya no quedaban, y listo.

LUIS.—Se van a enfadar.

PABLO.—Sobre todo mi madre. Las de guerra no las aguanta.

LUIS.—La mía tampoco. Le gustan solo las de amor.

PABLO.—¿Tú cuál vas a ver?

LUIS.—Yo, *Rebelión a bordo*, de Clark Gable.

PABLO.—Todavía no la he visto. Debe de ser de piratas.

LUIS.—Sí; a mí, por las fotos, eso me ha parecido.

PABLO.—¿Vas con Arturo Romera?

LUIS.—Sí. Vienen también Ángel García y Socuéllamos.

...

LUIS.—... ¿Y novelas de guerra has leído? Yo tengo una estupenda.

PABLO.—¿Cómo se llama?

LUIS.—*El tanque número 13.* Si quieres, te la presto.

PABLO.—A mí no me gusta leer novelas. El cine, sí. En el cine lo ves todo. En cambio, en las novelas no ves nada. Todo tienes que imaginártelo.

LUIS.—Pero es como si lo estuvieras viendo.

PABLO.—¡Qué va! Y, además, son mucho más largas. En el cine en una hora pasan la mar de cosas. Coges una novela, y en una semana no la acabas. Son un tostonazo.

LUIS.—Pues yo en una novela larga, de las que tiene mi padre, tardo dos días. Bueno, ahora en verano, que no hay colegio. Y me pasa lo contrario que a ti: lo veo todo. Lo mismo que en el cine.

PABLO.—No es lo mismo.

---

1. ¿Dónde se desarrolla la acción? ¿En el campo? ¿En la ciudad? ¿En el centro? ¿En las afueras? ¿Qué elementos nos ayudan a entenderlo?
2. ¿Quiénes son los protagonistas del diálogo?
3. ¿En qué estación del año se desarrolla la acción?
4. ¿Cuál es el tema del diálogo entre los dos chicos?
5. ¿Qué es lo que tenía que hacer Pablo y qué no hace para su familia?
6. ¿Qué opinión les merece a los chicos la película *Vuelan mis canciones*?
7. ¿Le gustan también a Luis los libros? ¿Por qué? ¿Qué opina de los mismos Pablo?

Prueba 2, Expresión escrita:
Un texto teatral

Reyes: Tía, ¿has visto la última *peli* de Javier Bardem? Es buenísima.
Blanca: ¡**Qué va**! Mis padres me han castigado sin salir una semana. Como suspendí el examen de Inglés...
Reyes: Pues tienes que verla en cuanto puedas. Va de un policía que tiene que capturar a una ex suya y...
Blanca: Bueno, bueno, no me cuentes más, que luego no tiene gracia.
Reyes: **Vale, vale**, pero tranquila, eh, que no hay misterios raros ni cosas así.
Blanca: Bueno, pero es igual. Prefiero no saber nada. Ya sabes que Bardem me encanta.
Reyes: Pues una amiga de mi hermana lo conoce.
Blanca: ¡**Venga ya**! Eso no te lo crees ni tú.
Reyes: **Que sí**, mujer, **que sí**. A ver, Bardem tiene un restaurante aquí en Madrid, y esta chica trabaja allí.
Blanca: Pues ya me estás diciendo dónde está ese restaurante...
Reyes: Pues mira, me voy a informar. Como dentro de poco es mi cumpleaños, puedo decirles a mis padres que quiero celebrarlo allí. Te gustaría, ¿**verdad**?
Blanca: ¡**Desde luego**!

Fíjate en los marcadores, están en negrita. Busca los que se usan para estas intenciones:
Incredulidad, negación, afirmación categórica, pedir conformidad, desaprobación o desacuerdo, aceptación.

Escribe ahora tú un diálogo: dos amigos hablan de música y conciertos. Usa algunos de estos marcadores.

Prueba 3, Interacción oral:
Una crítica literaria

Piensa en la última vez que has ido al teatro o al cine o en la última novela que has leído. Habla de los personajes, del lugar en el que se desarrolla, de la banda sonora, del tema de la obra, de lo que te ha gustado y de lo que no, si lo aconsejas y por qué.

Modelo de examen 6

Prueba 1, Comprensión lectora:
Texto periodístico

Lee el texto y responde a las preguntas.

Nombre: ....

Curso: ....

Fecha: ....

Los inventos, que sean prácticos o mejoren algo

Con 11 años, ganó un Diamond con un molino de viento con placas solares

---

Cuando durante la cena de gala de la feria de inventos British Invention Show, en Londres, Eudald Vehí (Girona, 2000) escuchó su nombre entre el de los premiados con el Diamond Award se quedó «petrificado». De eso hace solo tres meses. Con solo 11 años acababa de ganar uno de los cuatro premios que reconocen a los inventores más importantes del mundo. «¿Eres consciente de lo que acabas de ganar?», le felicitaba un montón de gente en inglés. «No lo era, pero estaba muy contento», dice él entre sorbo y sorbo de Cacaolat. Lo increíble es que el jurado no sabía que el autor tenía 11 años, porque el certamen obvia la edad del inventor.

Todo empezó durante las vacaciones de Navidad del año pasado. La tía de Eudald se lo llevó a él y su primo de excursión a Barcelona. Decidieron visitar el Miba, el Museo de Ideas e Inventos de Barcelona. Tras la visita, el centro ofrece a los niños la posibilidad de pensar y dibujar un invento. Eudald ideó un molino de viento en el que las aspas llevan incorporada una placa solar. «Todo el mundo pensó en inventos para resolver sus problemas, yo opté por conseguir energía sin contaminar en una sola instalación», explica.

El invento fue seleccionado entre los tres mejores de ese mes por el Miba y luego el museo se llevó los 30 artefactos ganadores del año a la feria del British Invention Show. La familia pudo organizarse para viajar tres días a Londres. Eudald repite como un mantra la frase que memorizó en inglés para responder a todo aquel que le preguntara por su invento: «Mi invento combina dos energías, solar y eólica en un solo aparato, el molino solar».

Cuenta el padre de Eudald, Josep, que «cuando tenía cuatro años, una noche nos dijo que necesitaba un martillo para arreglar no sé qué», relata entre risas. «Siempre ha tenido un pensamiento ingenieril, de buscar soluciones», asegura el padre, que es ingeniero. «¡No tengo nada que ver, no estaba en el museo!», bromea Josep. Quizás también le ha ayudado la escuela Montessori, donde estudia. «Es buena para su forma de ser, es un aprendizaje que permite que cada estudiante vaya a su ritmo, con objetivos por ciclo».

Eudald resta importancia al invento y al premio. Tanta que ni siquiera lo explicó en clase.

---

1. Resume en pocas frases el texto que acabas de leer.
2. ¿Crees que el chico del que habla el artículo es un genio? ¿O piensas que cualquiera puede tener una buena idea alguna vez y es más producto de la casualidad?
3. ¿Has tenido alguna vez una buena idea o conoces a alguien que la haya tenido?
4. ¿Cuáles son para ti los mejores inventos?
5. ¿Conoces algún museo interesante? ¿Alguno interactivo?
6. El padre del chico declara que su hijo siempre ha sentido curiosidad por los objetos, que no es algo nuevo. ¿Piensas que hay características tuyas que se mantienen desde que eras pequeño?

Prueba 2, Expresión escrita:
Un esquema

Para resumir el artículo anterior, empieza analizándolo como texto periodístico. Busca el qué, el quién, el cuándo, el dónde y el cómo. Señala cuál es el titular y cuál la entradilla. ¿Por qué ha elegido el periodista esas frases? Busca la idea central del texto y después resúmelo siguiendo las pautas que ya conoces para el resumen textual.

Prueba 3, Interacción oral:
Una experiencia personal

¿Cómo se te dan los inventos? ¿Eres curioso? Explica tu relación con las ciencias en función de tus capacidades. Independientemente de tus capacidades, ¿cómo crees que han ayudado las ciencias y los inventores a construir un mundo

Gramática

	HABLAR	COMER	ESCRIBIR
(yo)	hablo	como	escribo
(tú)*	hablas	comes	escribes
(él, ella, usted)	habla	come	escribe
(nosotros, nosotras)	hablamos	comemos	escribimos
(vosotros, vosotras)	habláis	coméis	escribís
(ellos, ellas, ustedes)	hablan	comen	escriben

* (vos)	hablás	comés	escribís

Yo me levanto a las siete y media y salgo de casa a las ocho. Y tú, ¿a qué hora tienes clase?

	SER	TENER	VER	HACER	JUGAR	VENIR
(yo)	soy	tengo	veo	hago	juego	vengo
(tú)*	eres	tienes	ves	haces	juegas	vienes
(él, ella, usted)	es	tiene	ve	hace	juega	viene
(nosotros, nosotras)	somos	tenemos	vemos	hacemos	jugamos	venimos
(vosotros, vosotras)	sois	tenéis	veis	hacéis	jugáis	venís
(ellos, ellas, ustedes)	son	tienen	ven	hacen	juegan	vienen

* (vos)	sos	tenés	ves	hacés	jugás	venís

	LEVANTARSE	SALIR	IR	VOLVER	EMPEZAR	VESTIRSE
(yo)	me levanto	salgo	voy	vuelvo	empiezo	me visto
(tú)*	te levantas	sales	vas	vuelves	empiezas	te vistes
(él, ella, usted)	se levanta	sale	va	vuelve	empieza	se viste
(nosotros, nosotras)	nos levantamos	salimos	vamos	volvemos	empezamos	nos vestimos
(vosotros, vosotras)	os levantáis	salís	vais	volvéis	empezáis	os vestís
(ellos, ellas, ustedes)	se levantan	salen	van	vuelven	empiezan	se visten

*(vos)	te levantás	salís	vas	volvéis	empezás	te vestís

(A mí)	me		
(A ti, vos)	te	gusta	el cine/la música/leer
(A él, ella, usted)	le		
(A nosotros, nosotras)	nos		
(A vosotros, vosotras)	os	gustan	las fresas
(A ellos, ellas, ustedes)	les		los perros

A mí me gusta mucho el chocolate. También me gustan las fresas. Y a ti, ¿qué te gusta?

Acuerdo	• Me gustan los perros.	• A mí también.
	• No me gusta leer.	• A mí tampoco.
Desacuerdo	• Me gustan los perros.	• A mí no.
	• No me gusta leer.	• A mí sí.

Se utilizan igual que gustar otros verbos como: parecerle, costarle mucho/poco hacer algo, caerle bien o mal alguien, molestarle, preocuparle...

A mí me gusta mucho tu vestido amarillo, me parece muy bonito.

Gracias. A mí también me gusta tu camiseta azul.

EXPRESAR LA OPINIÓN

A mí me parece	(+ MUY)	feo/a ≠ bonito/a fácil ≠ difícil bien ≠ mal pequeño/a ≠ grande interesante ≠ aburrido agradable
	~~(MUY)~~	estupendo/a, fantástico/a, increíble, genial, fatal, horrible

LOS VERBOS EN PRETÉRITO PERFECTO SIMPLE

	HABLAR	COMER	ESCRIBIR
(yo)	hablé	comí	escribí
(tú, vos)	hablaste	comiste	escribiste
(él, ella, usted)	habló	comió	escribió
(nosotros, nosotras)	hablamos	comimos	escribimos
(vosotros, vosotras)	hablasteis	comisteis	escribisteis
(ellos, ellas, ustedes)	hablaron	comieron	escribieron

Querido diario:
Ayer hice muchas cosas interesantes. Fui al zoo con mis amigos y vimos muchos animales. Después estuve en casa de mis abuelos...

	JUGAR	LEER	ESTAR	HACER	IR	VER
(yo)	jugué	leí	estuve	hice	fui	vi
(tú, vos)	jugaste	leíste	estuviste	hiciste	fuiste	viste
(él, ella, usted)	jugó	leyó	estuvo	hizo	fue	vio
(nosotros, nosotras)	jugamos	leímos	estuvimos	hicimos	fuimos	vimos
(vosotros, vosotras)	jugasteis	leísteis	estuvisteis	hicisteis	fuisteis	visteis
(ellos, ellas, ustedes)	jugaron	leyeron	estuvieron	hicieron	fueron	vieron

	DAR	TENER	PODER	PONER	MORIR
(yo)	di	tuve	pude	puse	morí
(tú, vos)	diste	tuviste	pudiste	pusiste	moriste
(él, ella, usted)	dio	tuvo	pudo	puso	murió
(nosotros, nosotras)	dimos	tuvimos	pudimos	pusimos	morimos
(vosotros, vosotras)	disteis	tuvisteis	pudisteis	pusisteis	moristeis
(ellos, ellas, ustedes)	dieron	tuvieron	pudieron	pusieron	murieron

Se utiliza el pretérito perfecto simple para hablar de acciones pasadas alejadas del presente.

LOS VERBOS EN PRETÉRITO PERFECTO COMPUESTO

Este verano he aprendido a hacer surf.

Pues yo nunca he hecho surf.

PRETÉRITO PERFECTO COMPUESTO

El verbo haber	+ el participio
he	
has	
ha	viajado
hemos	leído
habéis	salido
han	

(yo)
(tú, vos)
(él, ella, usted)
(nosotros, nosotras)
(vosotros, vosotras)
(ellos, ellas, ustedes)

PARTICIPIOS IRREGULARES

abrir	abierto
poner	puesto
decir	dicho
romper	roto
ver	visto
escribir	escrito
volver	vuelto
hacer	hecho

Se utiliza el pretérito perfecto compuesto para hablar de acciones pasadas próximas al presente.

Carpeta de actividades

LOS VERBOS EN PRETÉRITO IMPERFECTO

Cuando yo era pequeño, vivía en México y estudiaba en un colegio bilingüe.

(yo)
(tú, vos)
(él, ella, usted)
(nosotros, nosotras)
(vosotros, vosotras)
(ellos, ellas, ustedes)

HABLAR	COMER	ESCRIBIR
hablaba	comía	escribía
hablabas	comías	escribías
hablaba	comía	escribía
hablábamos	comíamos	escribíamos
hablabais	comíais	escribíais
hablaban	comían	escribían

(yo)
(tú, vos)
(él, ella, usted)
(nosotros, nosotras)
(vosotros, vosotras)
(ellos, ellas, ustedes)

SER	IR	VER
era	iba	veía
eras	ibas	veías
era	iba	veía
éramos	íbamos	veíamos
erais	ibais	veíais
eran	iban	veían

Se utiliza el pretérito imperfecto para:
– describir cosas o personas en el pasado.
– expresar acciones realizadas de forma habitual.
– presentar una acción pasada que es interrumpida por otra.
– narrar una acción pasada en desarrollo simultánea a otra acción.
– pedir algo de forma cortés.

LOS VERBOS EN PRETÉRITO PLUSCUAMPERFECTO

Cuando llegué a tu casa, ya te habías ido.

(yo)
(tú, vos)
(él, ella, usted)
(nosotros, nosotras)
(vosotros, vosotras)
(ellos, ellas, ustedes)

PRETÉRITO PLUSCUAMPERFECTO	
El verbo haber	+ el participio
había	
habías	
había	viajado
habíamos	leído
habíais	salido
habían	

Se utiliza el pretérito pluscuamperfecto para hablar de acciones pasadas anteriores a otra acción también pasada.
– A menudo se utiliza el adverbio ya para reforzar la anterioridad.
– Con nunca expresamos que es la primera vez que hacemos algo.

SITUAR TEMPORALMENTE

Señalar el momento en que ocurre un acontecimiento pasado	El + día de la semana o del mes En + fecha Hace + cantidad de tiempo	El 15 de julio salimos de viaje. El miércoles volvimos a casa. Estuve en Buenos Aires en mayo de 2010. Hace dos años, estuve en Buenos Aires.
Contar el tiempo que ha pasado desde que ocurrió un acontecimiento pasado	Hace + cantidad de tiempo + que + verbo en perfecto simple	Hace dos años que estuve en Buenos Aires.
Contar el tiempo desde que ocurre una situación presente	Desde + una fecha Desde hace + cantidad de tiempo Hace + cantidad de tiempo + que + verbo en presente	Vivo en Madrid desde 2007. Vivo en Madrid desde hace cinco años. Hace cinco años que vivo en Madrid.

CONTRASTE «HACE/HACÍA»

Si la referencia es el presente

Hace...
Desde hace...

Luisa viajó a Sevilla hace dos años.
Hace dos años que no nos vemos. ¿Cómo estás?

Si la referencia es el pasado

Hacía...
Desde hacía...

Luisa había viajado a Sevilla hacía dos años. **(Cuando Luisa fue era la segunda vez, dos años antes ya había ido).**
Hacía dos años que no nos veíamos. **(Cuando se vieron, habían pasado dos años desde su último encuentro).**

Hace unos días me encontré con un viejo amigo.

LOS VERBOS EN FUTURO SIMPLE

	ESTAR	CORRER	IR
(yo)	estaré	correré	iré
(tú, vos)	estarás	correrás	irás
(él, ella, usted)	estaré	correrá	irá
(nosotros, nosotras)	estaremos	correremos	iremos
(vosotros, vosotras)	estaréis	correréis	iréis
(ellos, ellas, ustedes)	estarán	correrán	irán

El futuro simple se utiliza para hablar de acciones futuras y para expresar hipótesis sobre el pasado.

LOS VERBOS EN CONDICIONAL SIMPLE

	ESTAR	CORRER	IR
(yo)	estaría	correría	iría
(tú, vos)	estarías	correrías	irías
(él, ella, usted)	estaría	correría	iría
(nosotros, nosotras)	estaríamos	correríamos	iríamos
(vosotros, vosotras)	estaríais	correríais	iríais
(ellos, ellas, ustedes)	estarían	correrían	irían

Yo que tú no lo haría.

Se emplea para pedir algo de una manera cortés, hablar de situaciones imaginarias, expresar deseos difíciles de realizar, dar consejos o recomendaciones y hacer propuestas o sugerir soluciones.

LOS VERBOS EN IMPERATIVO AFIRMATIVO

	ESCUCHAR	LEER	ESCRIBIR	LEVANTARSE
(tú)*	escucha	lee	escribe	levántate
(usted)	escuche	lea	escriba	levántese
(vosotros, vosotras)	escuchad	leed	escribid	levantaos
(ustedes)	escuchen	lean	escriban	levántense
(vos)*	escuchá	leé	escribí	levantate

En los verbos reflexivos el pronombre va unido al verbo.

	HACER	SER	TENER	PONER	IR	SALIR	VENIR	DECIR
(tú)*	haz	sé	ten	pon	ve	sal	ven	di
(usted)	haga	sea	tenga	ponga	vaya	salga	venga	diga
(vosotros, vosotras)	haced	sed	tened	poned	id	salid	venid	decid
(ustedes)	hagan	sean	tengan	pongan	vayan	salgan	vengan	digan
(vos)*	hacé	sé	tené	poné	ve	salí	vení	decí

LOS VERBOS EN IMPERATIVO NEGATIVO

No corran y no hablen en voz alta.

No + forma del subjuntivo presente

	HABLAR	CORRER	ESCRIBIR
(yo)	no hable	no corra	no escriba
(tú, vos)	no hables	no corras	no escribas
(él, ella, usted)	no hable	no corra	no escriba
(nosotros, nosotras)	no hablemos	no corramos	no escribamos
(vosotros, vosotras)	no habléis	no corráis	no escribáis
(ellos, ellas, ustedes)	no hablen	no corran	no escriban

LOS VERBOS EN PRESENTE DE SUBJUNTIVO

Ojalá saque buenas notas.

	REGALAR	COMER	ESCRIBIR
(yo)	regale	coma	escriba
(tú, vos)	regales	comas	escribas
(él, ella, usted)	regale	coma	escriba
(nosotros, nosotras)	regalemos	comamos	escribamos
(vosotros, vosotras)	regaléis	comáis	escribáis
(ellos, ellas, ustedes)	regalen	coman	escriban

	VENIR	IR	PODER	TENER	HACER	SER	SALIR
(yo)	venga	vaya	pueda	tenga	haga	sea	salga
(tú, vos)	vengas	vayas	puedas	tengas	hagas	seas	salgas
(él, ella, usted)	venga	vaya	pueda	tenga	haga	sea	salga
(nosotros, nosotras)	vengamos	vayamos	podamos	tengamos	hagamos	seamos	salgamos
(vosotros, vosotras)	vengáis	vayáis	podáis	tengáis	hagáis	seáis	salgáis
(ellos, ellas, ustedes)	vengan	vayan	puedan	tengan	hagan	sean	salgan

EXPRESAR DESEOS

Expresar deseos	Que + subjuntivo	Que aproveche. Que se mejore.
	Ojalá + subjuntivo	Ojalá no haya clase. Ojalá apruebe el examen.
Expresar confianza en que algo suceda	Espero + infinitivo (si los sujetos coinciden)	Espero llegar a tiempo. Espero aprobar el examen.
	Espero que + subjuntivo (si los sujetos son diferentes)	Espero que mi novio llegue a tiempo. Espero que te aprueben.

EXPRESAR TU OPINIÓN

> OPINAR
> **Se utiliza un verbo de opinión (como** pensar, creer, parecer**) +** que **+ indicativo si es una pregunta o es una afirmación.** ¿No crees que **es** muy valiente? Creo que **es** muy valiente.
> **Se utiliza con subjuntivo si está negado. No** creo que **sea** valiente.

ENUMERAR SENTIMIENTOS Y REACCIONES

> Me molesta que la gente hable en el cine.

> **Se utiliza una expresión de sentimiento (como** me da pena, me molesta, me alegra, me da miedo...**) + infinitivo si el sujeto es el mismo (si se reacciona ante lo que hacemos).**
> Me alegra **celebrar** mi cumpleaños.
> A mi amigo le da pena **cambiarse** de colegio.
> **Se utiliza con** que **+ subjuntivo si los sujetos son distintos (si se reacciona ante lo que hacen otras personas).**
> Me alegra que tú **celebres** tu cumpleaños.
> A mi amigo le da pena que yo me **cambie** de colegio.

«ESTAR» + GERUNDIO

> Ahora mismo tú estás leyendo estas páginas.

ESTAR		
est**oy** est**ás** est**á** est**amos** est**áis** est**án**	**+**	Nadar: nad**ando** Hacer: hac**iendo** Escribir: escrib**iendo**

ADVERBIOS DE LUGAR

Muy lejos – ALLÁ/ALLÍ

Lejos – AHÍ

Cerca – AQUÍ

LOS DEMOSTRATIVOS

CERCA ⟶ MUY LEJOS

	AQUÍ		AHÍ		ALLÍ	
	Singular	Plural	Singular	Plural	Singular	Plural
Masculino	este	estos	ese	esos	aquel	aquellos
Femenino	esta	estas	esa	esas	aquella	aquellas

Es un jersey buenísimo, pero también carísimo.

COMPARATIVOS

De superioridad: más + **adjetivo** + que
El abrigo es más **largo** que **la cazadora.**
De inferioridad: menos + **adjetivo** + que
El gorro rojo es menos **caro** que **el verde.**
De igualdad: tan + **adjetivo** + como
El vestido es tan **caro** como **la falda.**

SUPERLATIVOS

Es muy caro/a = Es carísimo/a.
Es muy barato/a = Es baratísimo/a.
Es muy corto/a = Es cortísimo/a.
Es muy largo/a = Es larguísimo/a.
Es muy poco/a – Es poquísimo/a.

LOS PRONOMBRES INDEFINIDOS

Hablamos de personas	1 persona	0 personas
	alguien	nadie
Hablamos de cosas o ideas sin determinar	1 cosa	0 cosas
	algo	nada

En casa vivimos cinco personas: mis padres, mi hermano, mi abuela y su gato y yo.

LOS ADJETIVOS POSESIVOS

	MASCULINO	FEMENINO
yo	mi **hermano** mis **hermanos**	mi **hermana** mis **hermanas**
tú, vos	tu **abuelo** tus **abuelos**	tu **abuela** tus **abuelas**
él, ella, usted	su **sobrino** sus **sobrinos**	su **sobrina** sus **sobrinas**
nosotros, nosotras	nuestro **tío** nuestros **tíos**	nuestra **tía** nuestras **tías**
vosotros, vosotras	vuestro **primo** vuestros **primos**	vuestra **prima** vuestras **primas**
ellos, ellas, ustedes	su **nieto** sus **nietos**	su **nieta** sus **nietas**

LOS PRONOMBRES POSESIVOS

MASCULINO	FEMENINO
El mío **Los** míos	**La** mía **Las** mías
El tuyo **Los** tuyos	**La** tuya **Las** tuyas
El suyo **Los** suyos	**La** suya **Las** suyas
El nuestro **Los** nuestros	**La** nuestra **Las** nuestras
El vuestro **Los** vuestros	**La** vuestra **Las** vuestras
El suyo **Los** suyos	**La** suya **Las** suyas

Transcripciones

Pista 2

1. María hizo un curso de inglés en Oxford en verano.
2. Hace un tiempo, Pepa estuvo en los Pirineos de *camping* con su familia.
3. Antonio viajó por primera vez en tren cuando tenía siete años.
4. El año pasado, Marcos no fue de vacaciones porque suspendió muchas asignaturas.
5. Esta semana, Elisa ha vuelto de sus vacaciones en Mallorca.
6. En enero, Julián y Raquel estuvieron esquiando en Sierra Nevada.

Pista 3

Raúl: Ángeles, ¿cómo ha ido tu viaje?

Ángeles: ¡Muy bien, la verdad! Ha sido una semana muy completa.

Raúl: ¿El viaje fue incómodo?

Ángeles: No, estaba más cerca de lo que yo creía. Fui en tren hasta León y, desde allí, en autobús hasta un pueblo que se llama Boñar. En el pueblo, nos estaban esperando y nos llevaron en coche hasta el *camping*.

Raúl: ¿Y qué tal todo? ¿Estaba bien organizado?

Ángeles: Sí, muy bien. Nos asignaron una tienda para cada cuatro personas y nos dieron el programa con los horarios y las actividades.

Raúl: ¿Actividades? Creía que se trataba de un campamento de inglés.

Ángeles: Claro, pero eso significa que todo lo hacíamos en inglés, no que nos pasábamos el día dando clases. Hacíamos muchas cosas.

Raúl: ¿Ah, sí? ¿Por ejemplo?

Ángeles: Pues teníamos actividades deportivas. Hicimos *rafting*, eso de bajar un río en barcas de gomas, montamos a caballo, organizamos un espectáculo teatral, nos enseñaron un poco de escalada, hicimos orientación por el bosque y dimos muchos paseos por la montaña.

Raúl: ¡Estupendo! Y la gente, ¿qué tal?

Ángeles: También muy bien. Los monitores eran simpáticos y estaban muy preparados y mis compañeros resultaron estupendos. He hecho buenos amigos y algunos son de aquí, de Madrid, así que ya te los presentaré.

Pista 4

a. - Hoy me dan los resultados del examen de Historia. ¡Ojalá estén bien!
- Seguro que sí. Espero que apruebes y saques buenas notas.
- Gracias.

b. - ¡Ojalá consiga mucho dinero el día de mi cumpleaños!
- Sé que a todos les has pedido dinero, espero que lo utilices para algo bueno.
- Espero que consigamos ahorrar lo suficiente para comprarnos una moto mi hermano y yo.

c. - Espero que hoy no toque examen sorpresa de Historia.
- ¿Y eso?
- Es que no me sé muy bien la lección. Ojalá el *profe* busque hoy otra actividad.
- ¡Ojalá!

Pista 5

Pepe Lobos: aprobado. Tienes que mejorar sobre todo la producción escrita. Ana López: suspenso. Voy a llamar a tus padres después de clase. Angélica Charro: Aprobado. José Gorris: suspenso. Voy a hablar contigo. Nacho Gómez: sobresaliente. Un examen excelente. María Sánchez: notable. Si sigues así, la nota final será sobresaliente.

Pista 7

Iván: Me cuestan los verbos.

Laura: Para mí lo más difícil es entender los textos.

Simón: Los españoles hablan demasiado rápido.

Juana: Me cuesta pronunciar la jota.

Luis: No consigo aprender y acordarme de las palabras.

Pista 8

Gabriel: ¿Sabes que estoy aprendiendo alemán?

Rocío: No, no lo sabía. ¿Y para qué lo estudias?

Gabriel: No sé, me apetecía. Pero es muy difícil. Me cuesta mucho aprenderlo y sobre todo hablarlo. Tú lo hablas bien, ¿no?

Rocío: Bueno, bien, bien, no. Lo aprendí cuando vivíamos en Alemania, claro, pero nos volvimos a España cuando tenía 9 años y se me ha olvidado mucho.

Gabriel: He pensado que podemos practicar de vez en cuando. Podemos hablar en alemán un día a la semana durante un rato. ¿Qué te parece?

Rocío: Se me hace raro, pero si quieres que te ayude...

Gabriel: Es que en la academia donde estudio solo hacemos gramática, no hablamos casi nada y además los profesores no son nativos.

Rocío: Es importante hablar. Tienes que perder el miedo a equivocarte. Usa los recursos que te da tu lengua. Escucha programas de radio o de televisión, ve películas...

Gabriel: Sí, sí, eso ya lo hago, pero hablar es más complicado porque no conozco a nadie y por Lugo no hay muchos alemanes... Por eso tu ayuda es importante.

Rocío: Bueno, pues si quieres empezamos ahora mismo. ¡Ojalá sea capaz de ayudarte!

Pista 9

1. Paula tiene frío. Es invierno y es muy friolera.
2. Amelia es muy antipática, siempre está de mal humor y parece enfadada.
3. La madre de Carlos es muy autoritaria, siempre da órdenes.
4. Fátima es muy estudiosa y trabajadora. Es muy responsable.
5. Isabel es muy graciosa y chistosa. Siempre está de buen humor y le gusta hacer bro-

mas.

6. Julián es un soñador y es muy romántico. Siempre está distraído, pensando en otras cosas.
7. Paco tiene mucho sueño, está cansado. Se va a ir a dormir.
8. Alberto tiene hambre. Es muy comilón y ya es la hora de la merienda.
9. Cristina está aburrida, no sabe qué hacer.
10. Mónica tiene miedo, está asustada. Es que ha visto una película de terror.
11. Silvia es muy optimista y siempre está alegre.
12. Raúl está enfadado, muy enfadado. Su equipo de fútbol ha perdido el partido.

Pista 11
Marta: Ana, ¿cómo te caen los compañeros de clase?
Ana: Bueno, todavía no los conozco bien, pero hay gente que está bien y gente que no me gusta. Aurora me cae fatal, es supercreída y muy egoísta.
Marta: A mí el que peor me cae es Matías, es muy falso.
Ana: ¿Y qué piensas de Luis?
Marta: Me cae fenomenal, es simpático y generoso. En cambio, me cae de pena Rosa, es aburrida.
Ana: Sí, y muy desordenada. También me cae mal Lorenzo, es demasiado serio.
Marta: El que mejor me cae es Antonio, es sincero, optimista, bromista y generoso.

Pista 12
1. - Hola, Lourdes, ¿te pasa algo? Pareces preocupada.
   - Es que el periódico dice que hay muchos ladrones en la ciudad. ¡Qué miedo!
2. - Santiago, ¿qué te pasa?
   - Es que se me ha roto el pantalón y se me ve el calzoncillo. ¡Qué vergüenza!
3. - Ana, estás muy triste.
   - Es que mi perro está muy enfermo.
   - ¡Qué pena!
4. - Hola, Leonardo, te veo muy contento.
   - Es que Sara me invita a su fiesta y eso me alegra.
   - ¡Qué guay!
5. - Elena, ¿te pasa algo? Pareces enfadada.
   - Sí, estoy muy enfadada. Me han puesto un examen para el lunes y no puedo ir a esquiar. Me molesta mucho.
   - ¡Qué rollo!
6. - Hola, Ramón, tienes cara de pocos amigos. ¿Te pasa algo?
   - Pues que no sé dónde está mi móvil y me preocupa.
   - ¡Qué rabia!

Pista 13
Roberto: Oye, Diana, ¿a ti te cae bien Miguel Ángel?
Diana: Bueno, sí, es simpático, aunque no hemos hablado mucho porque es muy callado.
Roberto: Es que me ha invitado a su casa y es la primera vez que me dirige la palabra. La verdad, me preocupa un poco que me invite a su casa así, la primera vez que hablamos.
Diana: Es muy amigo de Sara y yo creo que se parecen mucho.
Roberto: Pero si Sara es muy extrovertida... Es divertida y habladora, tiene muchos amigos, es muy popular. Miguel Ángel es muy tímido. Es amable sí, pero normalmente no participa mucho en el grupo. No sé por qué me ha invitado, la verdad.
Diana: ¿Pero te ha invitado solo a ti?
Roberto: No, también estarán Lucas y Luisa.
Diana: No sé, es un grupo extraño. Lucas es muy optimista y generoso, pero Luisa es pesimista y tímida. Y además a ti no te caen nada bien.
Roberto: Sí, pero tengo ganas de conocer mejor a Miguel Ángel y esta es una oportunidad. Además, no creo que Luisa y Lucas sean malas personas, no los conozco mucho, eso es todo, pero eso no significa que no me caigan bien.
Diana: Bueno, puede ser la ocasión para conocer mejor a unos compañeros de clase.

Pista 15
Instructor: Tomás. Aquí reduce. ¿Ves aquel cartel? ¿Qué significa?
Tomás: Que estamos cerca de una curva peligrosa, y por tanto, tengo que reducir y frenar...
Instructor: Sí, reduce, no frenes inmediatamente... bien, cuidado. ¿Qué haces? ¡Párate! ¿No has visto la señal?
Tomás: ¿Qué señal?
Instructor: La de dirección prohibida...
Tomás: Ah, no, no la he visto. Perdone...
Instructor: Mal, cuidado... Ahora nos acercamos a una rotonda... pero ¿qué haces? ¡No aceleres, frena! ¡Frena!

Pista 17
Ricardo: Acabo de leer una encuesta en el periódico sobre las profesiones que más nos gustan a los chicos y resulta sorprendente.
Teresa: ¿Ah, sí? ¿Y por qué?
Ricardo: Bueno, pues porque la mayoría de los chicos queremos ser futbolistas y la mayoría de las chicas queréis ser profesoras.
Teresa: Bueno, ¿qué tiene eso de extraño? Os pasáis el día jugando al fútbol o hablando de vuestros equipos...
Ricardo: Hombre, pero eso no significa que queramos ser futbolistas. Pero bueno, me extraña porque hay mucha diferencia entre los chicos y las chicas. Nosotros preferimos ser futbolistas y luego policías e ingenieros, mientras que vosotras queréis ser profesoras y luego veterinarias o médicas.
Teresa: Pues a mí me gustaría más trabajar con ordenadores. No sé, hacer videojuegos o algo así. ¿Y tú? ¿Tú también quie-

res ser futbolista?

Ricardo: No te rías... No, a mí me gusta el fútbol, pero me temo que no sería muy bueno. Yo quiero ser veterinario. Bueno, no sé, en realidad quiero trabajar con animales, pero no me apetece mucho curarlos; me gustaría estudiarlos.

Teresa: O sea, que a ti te gustaría hacer una profesión de chica y a mí una de chico...

Ricardo: Bueno, eso es lo que dicen las encuestas.

Pista 19

1. A mí me gusta mucho ver pelis en el cine.
2. Me encanta practicar deporte.
3. ¿Os gusta jugar con la consola?
4. No me gusta demasiado ver la tele.
5. A mí me entusiasma leer.
6. Siempre estoy tocando la guitarra, me encanta la música.
7. No solemos hacerlo, pero nos gusta ir a fiestas.

Pista 20

Luz: Bueno, pues yo soy muy vaga, no me gusta el deporte, así que me muevo poco. ¿Y tú, Toni?

Toni: No, a mí el deporte me gusta mucho. Nado tres veces a la semana y muchos sábados juego al baloncesto con mis amigos. Además patino mucho y voy en bici a todas partes. Como siempre cosas fritas, necesito moverme mucho.

Luz: Claro. Yo, en cambio, como cosas muy sanas y por eso no necesito hacer deporte.

Toni: No te creas. Hacer deporte es tan importante como dormir bien.

Luz: Yo no hago deporte, pero duermo mucho. A veces más de 12 horas.

Toni: ¡Pero es demasiado! Yo duermo 8 horas, que es lo adecuado.

Luz: Bueno, pero tú pasas mucho tiempo en Internet y eso tampoco es bueno.

Toni: Sí, lo sé. Pero tú también estás mucho tiempo con el ordenador y además no te mueves.

Pista 21

Luz: Bueno, Raquel, ¿has pensado ya qué harás en tu fiesta?

Raquel: Sí, claro, lo tengo todo organizado. Será mejor que la del año pasado, verás.

Luz: Cuenta, cuenta.

Raquel: A ver, lo primero la música. No habrá grupo en directo, pero tendremos un DJ. Es un amigo de mi hermano Paco, trabaja en locales de noche y tiene hasta un disco suyo.

Luz: ¿Pero será en un club? Creía que era en tu casa.

Raquel: Sí, sí, en casa. Él trae su música, yo he estado en una sesión que organizó mi hermano y es genial, música electrónica muy bailable.

Luz: ¿Y estarás tus padres?

Raquel: No, se van a cenar fuera. Me han dado hasta las 11, pero luego, cuando vuelvan, tengo que ponerlo todo en orden. Espero que me ayudéis.

Luz: Claro que sí. ¿Y vas a poner algo para comer?

Raquel: No sé, he pensado que queda muy de niños pequeños, ¿no? Supongo que pondré algo para picar, patatas fritas y esas cosas, pero ya está. Cuando la gente se vaya, los íntimos podemos comer una *pizza*.

Luz: No me parece bien que tengas solo cosas así porque si la gente no cena en casa se va a morir de hambre.

Raquel: Hombre, si alguien tiene hambre puede tomar algo de la nevera. En principio habrá solo patatas fritas y mucha bebida, refrescos y un cóctel de frutas con buena pinta que he encontrado en Internet.

Luz: E imagino que no organizarás juegos ni nada de eso, ¿verdad?

Raquel: Claro que no. Eso es como la comida, para fiestas de críos. Nosotros ya somos grandes.

Pista 25

David: Mira, Gonzalo, mi padre me ha pasado su teléfono viejo y está muy bien.

Gonzalo: ¡Hala, es un teléfono inteligente!

David: Sí, hace de todo, navega por Internet, lee el correo electrónico, tiene un montón de juegos y te puedes bajar las aplicaciones que quieras.

Gonzalo: Pero cuestan, ¿no?

David: Hay muchas gratis y otras son de pago. Yo me he descargado muchas que me ha aconsejado mi primo Felipe, puedo consultar las películas del cine, ver vídeos de YouTube, hacer fotos y editarlas, escuchar mi música... En fin, tiene de todo.

Gonzalo: ¡Qué suerte! A mí me han dicho mis padres que, si apruebo todo, quizá me compren uno.

David: Es que son imprescindibles, yo no sé cómo se puede vivir sin uno.

Gonzalo: Oye, ¿y pagas mucho de contrato al mes?

David: He cogido una oferta de voz y datos, tengo 400 minutos de llamadas al mes, 400 SMS y 2 gigas de datos y pago 20 euros al mes.

Gonzalo: ¡Uf, es un poco caro!

David: Pero ya no tienes que gastarte nada más, con esos minutos tienes suficiente y para los mensajes entre los que te dan y el whatsapp no necesitas más.

Gonzalo: Sí, tío, pero luego hay que pagar las aplicaciones que descargas... no sé.

David: Verás, en cuanto lo tengas, ya no podrás vivir sin él.